PORTUGAL
A TERRA E O HOMEM

TÍTULO

PORTUGAL, A TERRA E O HOMEM

EDIÇÃO DA FUNDAÇÃO CALOUSTE GULBENKIAN
EXECUTADA POR
EDITORA ARCÁDIA, S. A. R. L.

COMPOSIÇÃO E IMPRESSÃO
TIPOGRAFIA GUERRA
VISEU

TIRAGEM: 210 000 exemplares
10 de Junho de 1978

PORTUGAL

A TERRA E O HOMEM

ANTOLOGIA DE TEXTOS DE ESCRITORES
DOS SÉCULOS XIX - XX

POR

VITORINO NEMÉSIO

COM A PRESENTE EDIÇÃO
ASSOCIA-SE A FUNDAÇÃO CALOUSTE GULBENKIAN
ÀS COMEMORAÇÕES DO DIA DE PORTUGAL,
DE CAMÕES E DAS COMUNIDADES PORTUGUESAS

10 DE JUNHO DE 1978

A D V E R T Ê N C I A

DA *PRIMEIRA EDIÇÃO*

Esta *antologia, destinada pelo Instituto de Alta Cultura aos cursos e leitorados de português no estrangeiro, pretende dar a quem se inicia na nossa língua uma série de textos de alguns dos escritores mais representativos, e por isso sempre presentes numa biblioteca portuguesa e vivos na leitura comum. Vamos assim ao encontro da curiosidade do lusófilo incipiente, portador de um simples impulso de simpatia por Portugal e talvez de mera imagem criada em acasos de turismo ou num breve contacto com homens ou notícias de cá. Este livro cultiva e responde a esse estímulo. Levando longos trechos de grandes escritores da nossa língua, dá através deles alguns quadros essenciais da vida portuguesa: o território, o povo, os costumes, as terras. O diálogo de ficção situa o leitor estrangeiro no tecido vivo da língua e no âmago da vida corrente: paixões, ideias, hábitos. A narrativa e o descritivo orientam-no na terra, e até um pouco na história. Enfim, alguma coisa do que é peculiarmente português palpita aqui: intimidade, visão do mundo, o estilo do viver e do sentir.*

Limitámos *a recolha aos séculos XIX e XX, não só para manter, nos limites razoáveis de um volume, o critério do longo excerto até certo ponto concluso e íntegro, como para não quebrar com grandes diferenças de estádio linguístico e de clima literário uma certa*

7

unidade de visão e de elaboração estética da realidade portuguesa. E os escritores recentes são naturalmente os que melhor correspondem a esse fim, por âmbito de cultura, de géneros e de estilos.

Demos representação apenas a dois ou três poetas, para não faltarmos também à regra de fornecer ao mesmo tempo boa literatura e temas objectivamente portugueses. Acontece, porém, que os nomes escolhidos — Cesário Verde e António Nobre — não só são dos poetas que mais procuraram acercar-se da alma do povo e da terra, como dos de maior modernidade e inspiração.

Os perfis que acompanham cada nome representado contêm um mínimo de informação e de sugestão sobre os seus valores e vidas. Assim, o conhecimento crítico e histórico que está no destino escolar da antologia deve ser guiado e completado pelo professor.

Tão-pouco nos pareceu conveniente sobrecarregar o texto com comentários que teriam de ser vastos e minuciosos para iluminarem completamente as naturais obscuridades — a começar pelas da língua — que cercam os primeiros contactos de um estrangeiro com a mensagem escrita de um país a conhecer. Este livro, aliás, destina-se principalmente a romanistas e a estudiosos já algo iniciados na língua e nas coisas de Portugal.

OLIVEIRA MARTINS
(1845-1894)

Natural de Lisboa, de uma família burguesa, neto de um desembargador e ministro de D. João VI, Oliveira Martins, órfão cedo, abandonou a Academia das Belas-Artes, onde o desenho lhe desenvolveu certamente o gosto do concreto e do plástico. Empregado de uma firma estrangeira, robusteceu o seu espírito prático no meio de homens de iniciativa, combinando uma imaginação poderosa e atrevida com o sentido das realidades sociais e económicas. Entre 1866 e 1874 administrou em Espanha as minas de Santa Eufémia (Córdova), compenetrando-se do fundo que irmanava os dois grandes povos peninsulares e auscultando as tendências e aspirações operárias.

Teórico do socialismo proudhoniano, o seu espírito revolucionário lutou com um temperamento dogmático e um feitio conservador. O seu cientificismo autodidáctico e a meditação da filosofia e da história, aliados àqueles elementos, determinaram em Oliveira Martins um tipo de escritor homem-de-acção, que fazia de cada livro um acto e tirava da interpretação de cada figura ou grupo de figuras da história a introdução admonitória a um programa cívico mais ou menos confessado e querido.

Lentamente convertido do socialismo de Proudhon ao socialismo de cátedra, espírito autoritário e determinista, Oliveira Martins foi levado, certamente também sob o influxo de relações intelectuais e mundanas (Eça de Queirós e fidalgos artistas da intimidade da Corte, como os Condes de Arnoso, de Sabugosa e de Ficalho), a uma atitude cívica e política pragmática, com que julgou poder realizar as suas reformas revolucionárias sem abalo da estrutura monárquica e burguesa do País. Mas a sua gerência da pasta das Finanças num período de graves perturbações internacionais (1892) foi uma desilusão para as ambições do homem de Estado. O seu estrutural pessimismo exacerbou-se. A sua imaginação inquieta, cheia de violência inventiva, perturbava de imagens e de ficções uma aturada especulação histórica rica de hipóteses de trabalho, de campos de consideração do fenómeno histórico, de dados heterogéneos argutamente integrados numa construção explicativa.

O economista de lúcida visão e de vário saber socorre em Oliveira Martins o historiador de génio, que intui fulgurantemente o essencial e descreve admiravelmente os fenómenos, mas perturba quase sempre o quadro e a construção com o ímpeto da fantasia, o ardor biográfico, o sentimento poético do ethnos e do epos. Os seus livros de carácter científico, prolegómenos de uma historiografia portuguesa de intenções sistemáticas, ressentem-se da atitude enciclopedista com que foram concebidos e do improvisado suprimento que tiveram de fazer à falta de bibliografia congénere. Antropologia, mitologia, pré-história, economia, finanças, estatística («crematística», como ele diz), teoria do socialismo, tudo isso tratou Oliveira Martins em volumes apressados, em que a precisão de noções cedia à preocupação de variedade e de exaustão e a um irreprimível pendor dogmático de explicações preconcebidas. Mas nesse material sofregamente acumulado há observações preciosas, relacionamentos originais e subtis e a forte consciência da necessidade de fecundar a história pela sociologia e de surpreender toda a extensão de causas, de acontecimentos e actuações, que se apresentam de ordinário num plano simplista, meramente político. As suas Tábuas de Cronologia e de Geografia Histórica (1884) denunciam o desejo de dar sólida base territorial às vicissitudes dos grupos humanos, sincronizando os factos segundo as diversas ordens e perspectivas a que pertencem.

A obra propriamente histórica de Oliveira Martins reparte-se entre o ciclo de civilização e de cultura (Helenismo, Cristianismo, República Romana, Civilização Ibérica) e a época de história nacional e o ciclo imperial — História de Portugal (1879); Portugal Contemporâneo (1881); Portugal nos Mares (1889); O Brasil e as Colónias Portuguesas (1880). Dos livros desta última série, os dois primeiros sofrem, na audácia interpretativa e na sedução do plano, das abusivas interferências do grande artista no crítico de fontes e no formulador de juízos — o que dá carácter demasiado polémico, satírico e pictórico a essas obras. Os outros dois livros ressentem-se do estado embrionário das investigações de então sobre a matéria que versam, conservando contudo visões e critérios valiosos.

A História da Civilização Ibérica, apesar dos seus fundamentos frágeis, é um grande livro de síntese, uma filosofia do génio peninsular precursora do ensaísmo da geração espanhola de 1898 (Unamuno, Ganivet, Gasset), e guia e estímulo da sua vontade de pensar a civilização peninsular como um modo singular no processo da Europa e do Ocidente. A História da República Romana (1885), descontada a sua desactualização de fontes, persiste como um belo fresco histórico.

Um friso de biografias — Os Filhos de D. João I *(1891)*; Vida de Nunálvares *(1893)* — e o inacabado e póstumo Príncipe Perfeito *(1896)* iluminam·a precária mas sugestiva e ampla historiografia de Oliveira Martins com a nitidez das figuras de agentes históricos recortados numa época e numa grei fortemente saturadas de heroísmo. Aí, a força e segurança do processo biográfico resgatam a pressurosidade e algum arbítrio da construção histórica, robustecendo as verdades gerais, comprometidas por um método demasiado pessoal, com a verosimilhança e a forte impressividade das figuras.

Pode enfim dizer-se que a história é, para Oliveira Martins, o drama do homem na terra. É essa concepção dramática do acontecer que muitas vezes desacerta as sagazes e seguras verificações do facto vivo com a pintura estupenda do agir e com o vigor do quadro que dá o que é concluso e substancial na historicidade. Oliveira Martins é, em suma, um grande agitador de problemas que exige a cada passo a reverificação dos dados e deixa a pureza da prova à cautela do leitor. Assim lido, o seu pensamento é vasto e rico; o que realizou é inestimável.

Do ponto de vista estritamente literário, é difícil encontrar nas literaturas modernas um escritor de história mais sedutor do que Oliveira Martins. O seu estilo sôfrego, ardente, ao mesmo tempo ideográfico e impressionista, não tem o castigo vocabular e o equilíbrio de discurso correspondentes à sua força autêntica. Mas o calor e a cor animam todas as páginas. A plasticidade da língua aos matizes de época e de condição humana a exprimir é admirável. O toque é rápido, a sintaxe varia com as necessidades do processo ideativo ou do processo pictórico, acorrendo pronta a tudo, ora torrencial e patética, ora incisiva e lógica.

O instinto psicológico de Oliveira Martins alia-se ao poder de notação da natureza, que o faz um realista integral, do concreto como do abstracto. É paisagista, de um paisagismo animista que encarna a causa e o móbil humano na terra e nas coisas.

Nos trechos que inserimos adiante documenta-se o seu poder de interpretação dos aspectos da terra portuguesa com uma espécie de escrita ou sinalário da vontade e do destino dos homens que ali viveram e vivem. É particularmente bela e aguda a sua visão da agrura ou feracidade do território e a marcação dos cambiantes de cenário da vida da grei.

[A TERRA E O HOMEM]

ONHECIDA a orografia e a geognosia do território, brevemente indicaremos o sistema de caracteres agrícolas e climatológicos, ambos ·subordinados aos anteriores, e todos solidariamente ligados para formar a fisionomia natural das diversas regiões do território português.

A sua antiga divisão em províncias obedecia mais a estas condições naturais do que a moderna divisão em distritos: as causas determinantes de uma e de outra são o motivo desta diferença. As províncias formaram-se historicamente em obediência às condições naturais; os actuais distritos foram criados administrativamente de um modo até certo ponto artificial. Umas provinham dos caracteres próprios das regiões, e a administração limitara-se a reconhecer factos naturais; outros, determinados por motivos abstractos, nasceram de princípios administrativos e estatísticos (área, quantidade de população, etc.), fazendo-os discordar o menos possível dos limites naturais, geográficos e climatológicos. Por estes motivos nós agora estudaremos por províncias, e não por distritos, o território português, deixando para o lugar competente o exame do estado actual e da estatística moderna da nação.

A divisão das províncias· apoiava-se em factos físicos de um

13

valor eminente. Começando pelo norte, o território de Além-
-Douro inscreve duas zonas separadas pelo Tâmega: a leste
Trás-os-Montes, e oeste Entre-Douro-e-Minho. Além de obedecer, como se vê, à geografia nos rios fronteiras naturais, a divisão das duas províncias consagra diferenças essenciais: as
geognósticas já por nós observadas (rochas eruptivas dominando
a oeste, xistos a leste do Tâmega) e além delas as climatéricas.
Portugal, segundo já se disse noutro lugar, é, em geral, um anfiteatro de montanhas levantado em frente do Oceano. Esta circunstância caracteriza para logo as regiões de um modo também
geral, dividindo-as em duas categorias: as marítimas e as interiores;
as cis- e as transmontanas; as que estão directamente expostas
à acção das brisas marítimas, e os declives orientais, os vales interiores, e os degraus ou socalcos das serras encobertas aos bafe-
jos do mar por cumeadas ocidentais sobranceiras.

Esta circunstância dá caracteres inteiramente diversos às
duas províncias do Douro-Minho e de Trás-os-Montes, dividi-
das pelas serranias do Gerês e do Marão, que roubam a última
à acção das brisas marítimas. Quem alguma vez transpôs o Tâmega,
decerto observou a profunda diferença da paisagem e do cará-
ter e aspecto dos habitantes de aquém e de além desse rio. O Transmontano, vivo, ágil, robusto, destaca-se para logo do Minhoto,
obtuso mas paciente e laborioso, tenaz, persistente e ingénuo.
Além do Tâmega o clima é seco (40 a 80 % de humidade relativa),
poucas as chuvas (599 a 1000 mm e no Estio 70 a 80 apenas),
grande o calor no fundo dos vales apertados, mas temperado
nas alturas; intensos os frios hibernais que coroam de neve as
montanhas e gelam a água pelas baixas (12º a 15º temp. média).
Aquém, as brisas do mar, estacadas na sua passagem pelas serras,
condensam-se e produzem as chuvas copiosas: por isso no Minho
o pendor ocidental das serras de oriente é sarjado pelos numero-
sos e sucessivos rios paralelos, cujos vales, reunindo-se junto à
costa, formam ao longo dela a primeira das planícies litorais de

Portugal. Habita essa região pingue uma população abundante, activa, mas sem distinção de carácter, nem elevação de espírito; consequência necessária da humidade e da fertilidade. Falta essa espécie de tonificação própria do ar seco e dos largos horizontes recortados num céu luminoso e puro. O Minho é uma Flandres, não uma Ática. As chuvas precipitam-se abundantes (1200 a 2000 mm anuais, e no Estio 80 a 200) sobre um chão lavrado de caudais; a humidade (70 a 100 %) torna flácidos os temperamentos e entorpece a vivacidade intelectual, que nem um frio demasiado irrita, nem um calor excessivo faz fermentar, à maneira do que sucede nas zonas genesíacas dos trópicos. Temperado o clima (12° a 15°), sem excessivos afastamentos hibernais, a população satisfeita, feliz, e bem nutrida de vegetais e de ar húmido, oferece a imagem de um exército de laboriosas formigas sem coisa alguma do alado e brilhante de um enxame dourado de abelhas.

O clima determina a paisagem. Além-Tâmega as loiras messes de trigo, os pâmpanos rasteiros, o carvalho nobre e o gigante castanheiro vestem os pendores de elevadas serras, cujas cristas dentadas de rochas, no Inverno coroadas de neve, se recortam no fundo azul do firmamento, dando fixidez e nobreza ao quadro, e infundindo o quer que é de elevado no espírito. A natureza vive na luz, e a alma sente que os elementos têm dentro em si forças que os animam.

Aquém-Tâmega o cenário muda: a humidade cria em toda a parte vegetações abundantes; não há um palmo de terra donde não brote um enxame de plantas, mas como o solo é breve, como a rocha aflora por toda a parte, e os campos nascem no terreno vegetal formado nas anfractuosidades do granito pelas folhas e ramos decompostos, e nos estuários dos rios pelos sedimentos das cheias, a vegetação é rasteira e húmida, o pinho marítimo de uma constituição débil, o carvalho um pigmeu enleado pelas varas das vides suspensas. A densidade da população completa

15

a obra da natureza numa região onde o vinho não amadurece: o ácido picante dá-lhe uma semelhança de bebidas fermentadas do Norte, cidra ou cerveja, e com ela, ao génio do povo, caracteres também semelhantes aos de Bretões e Flamengos. A vegetação, de si mesquinha, é amesquinhada ainda pela mão dos homens; as necessidades implacáveis da população abundante produzem uma cultura que é mais hortícola do que agrícola; pequeninos campos, circundados por pequeninos vales, orlados de carvalhos pigmeus, decotados, onde se penduram os cachos das uvas verdes. No meio disto formiga a família: o pai, a mãe, os filhos, imundos, atrás duns boizinhos anões que lavram uma amostra de campo, ou puxam a miniatura de um carro. Sob um céu enevoado quase sempre, pisando um chão quase sempre alagado, encerrado num vale abafado em milhos, dominado em torno por florestas de pinheiros sombrios, sem ar vivificante, nem abundante luz, nem largos horizontes, o formigueiro dos Minhotos, não podendo despegar-se da terra, como que se confunde com ela; e, com os seus bois, os seus arados e enxadas, forma um todo de onde se não ergue uma voz de independência moral, embora amiúde se levante o grito de resistência utilitária. A paisagem é rural, não é agrícola; a poesia dos campos é naturalista, não é idealmente panteísta. Quem uma vez subiu a qualquer das montanhas do Minho e dominou daí as lombadas espessas de arvoredo, sem contornos definidos, e os vales quadriculados de muros e renques de carvalhos recortados, sentiu decerto a ausência de um largo fôlego de ideal, de uma viva inspiração de luz. Apenas aqui e acolá, engastado na monotonia da cor dos milhos, um canto do verde alegre do Minho vem lembrar que também no coração do Minhoto há um lugar para o idílio infantil do amor.

Descendo para o sul do Douro, entre a Beira montanhosa e a Beira litoral, dão-se diferenças análogas às que distinguem o Minho e Trás-os-Montes: análogas, dizemos, e não idênticas, porque nesta nova região começam a sentir-se as influências de causas gerais, como são as da latitude. A zona anterior estanceia entre os paralelos de 41° e 42°; as Beiras descem até 39° 40'. Portugal, inscrito entre 37° e 42°, e lançado como uma estreita faixa norte-sul, tem na latitude das regiões uma causa geral a concorrer sempre com as causas particulares, quais são a altitude, a exposição e a constituição geognóstica das montanhas, no sentido de determinar os caracteres das suas diferentes províncias.

Nesta de que agora nos ocupamos levanta-se ao centro a Serra da Estrela, a cujo pendor marítimo se chamou Beira Alta, dando-se aos declives transmontanos opostos, reunidos à Gardunha, o nome de Beira Baixa. Três zonas compõem a região das duas províncias: o litoral formado pelos estuários do Vouga e do Mondego, as serranias ocidentais ou marítimas, e as orientais ou transmontanas.

A Serra da Estrela é a mais elevada das cordilheiras portuguesas; é o prolongamento da espinha dorsal da Península; é a divisória das duas metades de Portugal, tão diversas de fisionomia e temperamento; é finalmente como que o coração do País — e acaso nas suas quebradas e declives pelos seus vales e encostas, demora ainda o genuíno representante do Lusitano antigo. Se há um tipo propriamente português; se através dos acasos da história permaneceu puro algum exemplar de uma raça ante-histórica onde possamos filiar-nos, é aí que o havemos de procurar, e não entre os Galegos ao norte do Douro, nem entre os Turdetanos da costa do sul, nem entre as populações do litoral cruzadas com o sangue de muitas raças e com os sentimentos e costumes das mais variadas nações.

O pastor quase-bárbaro dessas cumeadas da serra, a topetar com as nuvens (1800 a 2000 m de altit.), abordoado ao seu cajado, vestido de peles, seguindo o rebanho de ovelhas louras, é talvez o descendente dos companheiros de Viriato. Por essas eminências, tapetadas de relva no Estio e de neves no Inverno, nem as vilas, nem as árvores se atrevem a subir: só o pastor nómada as habita. Do alto do seu trono de rochas vê gradualmente ir nascendo a vida pelas encostas: primeiro o zimbro, rasteiro e roído pelo gado, circunda os altos nus; logo aparecem os piornos, as urzes brancas, os carvalhos; depois, já a meia altura da encosta, os castanheiros, as lavouras, e os enxames de aldeias; afinal, na extrema baixa, o lençol de lagunas, tapete de esmeraldas engastadas em fios de brilhantes, que o sol faceta ao espalhar-se no labirinto dos canais.

A Serra da Estrela, reforçada ao norte pelo contraforte de Montemuro, fecha, com o Marão e o Gerês, uma muralha natural, onde os ventos do mar estacam. Apenas cortada pelos vales do Douro e do Tua — duas fendas — essa barreira, cujos picos sobem até 2000 m, encerra e protege o Portugal do norte, sendo a principal causa das chuvas abundantes e do clima criador do litoral de Além-Mondego.

O Beirão, habitante da encosta ocidental, onde o ar é mais húmido do que em Trás-os-Montes (65 a 100 %), as chuvas mais abundantes (700 a 1200 mm) e a temperatura idêntica; onde o castanheiro colossal, o cedro, o carvalho e o pinheiro bravo põem na paisagem todos os tons e essa grandeza própria de árvores que vivem séculos — o Beirão é menos vivo, mas mais robusto. Quem divagou por essas terras admirou decerto a estrutura hercúlea dos seus homens, cuja face, não luzindo com os brilhantes reflexos de vida interior, acusa todavia um pleno desenvolvimento da vida animal. Berço dos audazes bandidos, anacrónicos representantes de uma independência de outras idades, a Beira é o viveiro de musculosos trabalhadores que vão todos os anos, pelo Estio, lavrar as glebas do sul do Tejo, levemente vestidos nas suas bragas curtas de linho, descalços, com a camisola de lã agasalhando o tronco, o barrete frígio na cabeça, a manta e a enxada ao ombro.

Descendo o litoral, o Beirão é anfíbio: pescador e lavrador.

A lavoura nasce do mar: os carros são barcos, adubos o moliço de algas e mariscos. Ao lado de um talhão de milho está uma marinha de sal. O mar insinua-se pelos canais retalhando a planície, em cujo centro, como uma artéria, corre placidamente o Vouga. A três léguas da costa vê-se fundeado um barco: as mulheres cosem as redes, ao lado, sobre a terra húmida e negra, que os bois lavram, ou o cavador abre à enxada. O calor (15° a 16°), a humidade permanente (65 a 80 %), fazem germinar breve as sementes, multiplicam as colheitas, e as febres. Essa paisagem deliciosa e original, indecisa entre o mar e a terra, e que nos enche de vivo prazer, quando a dominamos desde os altos de Angeja à raiz das montanhas, atrai-nos como a sombra da mançanilha, cheia de frescura e veneno. Os elementos, confundidos, vingam-se da temeridade dos homens.

A exposição oriental ou transmontana das abas da Serra da Estrela e dos serros subalternos da Gardunha dá à província da Beira Baixa um outro aspecto: a maior secura no ar, e as chuvas são menos abundantes; os olivais medram melhor, e os habitantes juntam à vida agrícola a industrial, tecendo as lãs dos rebanhos da Serra com a força das torrentes que se despenham nas quebradas do Vale-do-Zêzere.

Já semelhante por muitos lados ao Alto-Alentejo, a Beira Baixa é a transição da metade norte para a metade sul do País.

Comecemos de oriente para ocidente. O Alto-Alentejo tem o clima de Trás-os-Montes; a temperatura média é mais elevada (16° a 17°), porque a menor altura das montanhas dá frios menos intensos no Inverno; as chuvas estivais são menores também (30 a 50 mm). Fronteira aberta da Espanha, a raia apenas convencionalmente o divide da Estremadura castelhana. As mesmas planícies onduladas, as mesmas culturas cerealíferas, as mesmas florestas de sobros e azinhos, as mesmas vinhas, os mesmos costumes, os mesmos homens, estão de um lado e de outro da fronteira. Torrado pelo sol, a face barbeada, de olhar vivo, gesto livre, porte nobre e seguro, bizarro, folgazão, hospitaleiro e comunicativo, o Alentejano exprime no seu todo a grandeza um tanto austera do chão sobre que vive. Não é decerto um grego de Atenas, mas é um grego da Beócia. Os seus campos são um granel, os seus montados um viveiro. Quando nas longas e alinhadas estradas, entre lençóis de matas de azinho escuro, sob o calor de um sol dardejante, divisamos ao longe uma pequena nuvem de poeira que a luz ilumina, e ouvimos o tilintar alegre das campainhas e guizos nas coleiras dos machos — é o caseiro que a trote largo, com a cara redonda e alegre, o ventre apertado nos seus calções de briche oreto, vai à feira de Vila Viçosa, em Maio, ou à de Évora, em Junho, tratar dos negócios da lavoura. A distância, vem o arreeiro no seu carro toldado, guiando a récua de machos carregados de odres de vinho; logo o pastor com o guarda-mato de pele de cabra, cajado ao ombro, conduzindo as ovelhas, a vara de porcos, gordos, como texugos, ou a boiada loura de longas hastes. O sol ardente dá tom a todas as cores, vida a todos os movimentos; sufoca-se, a poeira cega, e os bagos de suor camarinham na testa. O alentejano diz pouco, e raro canta: não é misantropia, é indiferença. O idílio não pode seduzir a quem vive em ampla comunhão com o campo largo, o céu sempre azul, o sol sempre em fogo. Apenas, de Verão, baila ao som das guitarras nas noites calmosas, fazendo a vigília aos seus santos favoritos não para esquecer um trabalho que lhe não dói, mas para dar largas aos seus amores de um momento.

Os que uma vez embarcaram abaixo de Serpa, onde as cataratas põem ponto à navegação, Guadiana em fora até ao Algarve, terão sentido ao chegar à foz a impressão de quem entra, de um sertão, em um jardim; de quem deixa uma escura gruta por uma luminosa planície. Breve é a extensão do Algarve, desde Vila Real até Lagos, abrigado pela ponta do Cabo de São Vicente; mas esse trajecto sombrio do Guadiana divide duas regiões caracteristicamente acentuadas. Um Algarvio é um Andaluz. Ao contrário do Alentejano, tudo o interessa, de tudo fala, agita-se em permanência, com uma vivacidade quase infantil. No Algarve não há o silêncio e a impassibilidade: há o constante movimento, o falar, o cantar, de uma população como a dos gregos das ilhas, ora embarcados nos seus navios de cabotagem, ora ocupados nos seus campos que são jardins. Se a planície e os longos horizontes das montanhas dão ao espírito a placidez solene, também o constante arrulhar da onda, sobre a qual, debruçado como um eirado, está o Algarve, põe no pensamento uma permanente agitação, meio tonta, mas encantadora. Ao calor de um sol já africano, durante o Estio, e no seio de uma constante Primavera, durante o Inverno, o Algarvio desconhece a aspereza da vida: nem os frios o obrigam à indústria para se vestir, nem a fome ao duro trabalho da enxada para comer. Enquanto voga sobre o mar, mercadejando, pescando, contrabandeando, crescem-lhe no campo a figueira, a amendoeira, a laranjeira, cuja seiva o sol se encarrega de transformar todos os anos em frutos. A alfarrobeira nas encostas da sua serra, a palma pelos valados, pedem apenas que lhes colham os frutos e os ramos; e o mercador, no seu barco, ao longo da costa, espera as carpas, para as trocar por dinheiro.

*

No decurso da nossa viagem deixámos em claro as mortíferas baixas do Guadiana: nem vale a pena demorarmo-nos nessa região desolada; porque agora, regressando pela costa acima, o litoral do Alentejo e a parte ocidental da Estremadura transtagana partilham com ela os caracteres tristonhos e doentios. Entramos na região dos terrenos terciários: as águas estagnam e apodrecem nas baixas, as populações definham. Ou torradas pelo árido suão que os areais ardentes não podem suavizar, e sem montanhas que obriguem os vapores do mar a condensar-se; ou envenenadas pelos miasmas dos paúis que o solo de fogo põe numa fermentação permanente, as populações amarelidas e magras definham, curvadas pelo mortífero trabalho das marinhas do sal, ou da cultura pantanosa do arroz. São o contraste das baixas do norte do País, estas baixas do sul. Além copiosas chuvas e uma humidade criadora; aqui o ar seco (500 a 700 mm anuais, 30 a 50 no Estio; humidade, 30 a 80 %), duro e carregado de emanações mefíticas. Além uma população exuberante; aqui as solidões e os areais nus, matizados pela traiçoeira cevadilha, e pelo aloés orgulhoso levantando com império o seu penacho cor de fogo. Além homens laboriosos e famílias, aqui tipos esfarrapados em choupanas, tiritando com o frio das sezões numa atmosfera de lume, mulheres esquálidas, crianças verde-negras, homens na indiferença da desolação, ou na vertigem do crime.

*

Entre estas duas regiões litorais extremas está, porém, a central, a vingar-se da miséria de uma e da opulência da outra. Quem desce, de Canha e Alcácer do Sal até Setúbal na península de Entre-Tejo-e-Sado, e domina, desde o promontório da Arrábida, a paisagem circundante, respira afinal a longos tragos uma plena vida e uma doce alegria. Acaso não há no reino panorama, nem mais belo, nem maior, nem mais nobre, nem mais variado. A nossos pés descem as anfractuosidades da serra vestidas de espessas matas: as giestas douradas, as bagas carmíneas dos medronhos, rosmaninho, alfazema, misturando todos os seus aromas inebriantes. Sobranceiros a Palmela, vemos-lhe os muros ameados; Setúbal desenha-se no vale encastoado no jardim de laranjas; no fundo quebram-se as ondas contra as rochas do Cabo;

e para o lado oposto, as colinas da fidalga Azeitão ondulam por sobre o espesso tapete de pinhais estendido até ao Tejo. Erguendo a vista, divisamos além do mar a ponta de São Vicente, ao sul; para leste, Évora dum lado e as campinas do Ribatejo do outro para norte, Lisboa em anfiteatro sobre a sua baía; além dela Sintra e os montes da Estremadura cistagana — a qual, até ao Mondego, forma a primeira zona estremenha, por onde vamos entrar no exame da última das regiões do nosso território. O litoral do centro entre o Mondego e o Tejo é a parte mais benigna do País. Aí o ar temperado pelas brisas marítimas mantém um grau de humidade (68 a 85 %), e as chuvas, regulares sem serem copiosas (700 a 800 mm anuais, e 20 a 30 no Estio), uma rega, que fertilizam os terrenos sem os tornar gordos como os do Norte. Nem o calor (15° a 16°) tisna de Verão as vegetações, nem o frio do Inverno as atrofia. Por tudo isto, a população abunda, sem exorbitar, como no Minho; e o habitante reúne à laboriosidade de uma vida agrícola a liberdade de uma existência mais ampla. Por tudo isto, além dos caracteres geognósticos da região, a flora é variada, reunindo o pinheiro bravo e o manso, a vinha, a oliveira e o carvalho, o trigo, o milho e o centeio. Desde os campos que o Mondego todos os anos fertiliza, por Leiria e Alcobaça vestidas de florestas, pelas veigas do Nabão, chegamos ao Tejo; e transpondo-o entramos no seu vale, que é para nós como o Nilo é para o Egipto. Nele com efeito o campino nos traz à ideia o tipo dessas raças da África setentrional, Líbios ou Mouros cujo sangue anda misturado nas nossas veias. A cavalo, de pampilho ao ombro, grossos sapatos ferrados, gorro vermelho na cabeça, o Ribatejano, pastoreando os rebanhos de toiros nas campinas húmidas e vicejantes, é como um beduíno do Nilo. A vasta planície matizada de povoações e bosques de choupos, de salgueiros e álamos, contornada ao longe pelas cumeadas das serras, tem o carácter das paisagens do Egipto, ou de Tunes, dominadas pelo esqueleto gigante do Atlas.

Como o Beirão, também o Ribatejano reúne à vida agrícola a marítima ou fluvial: é ele quem vem nos seus barcos água acima até Lisboa, trazer o seu tributo de cereais e frutas. Pelo Tejo, o Portugal marítimo abraça o Portugal agrícola, fundindo numa as duas fisionomias típicas da nação. Rio acima, o Alentejo de um lado, a Beira do outro, por esta forma se comunicam, pela população marítima do litoral, Lisboa, com Sines ao sul, Aveiro ao norte, eis os pontos cardiais dessa escala ocidental, donde tantas grandes aventuras, tão dilatadas viagens se empreenderam. Capital geográfica, Lisboa é também a nossa capital marítima; e se as viagens e descobertas são o coração da nossa história particular nacional, Lisboa é também a nossa capital histórica. As toadas plangentes que ao som da guitarra se ouvem por toda a costa do ocidente; essas cantigas, monótonas como o ruído do mar, tristes como a vida dos nautas, desferidas à noite sobre o Vouga, sobre o Mondego, sobre o Tejo e sobre o Sado, traduzirão lembranças inconscientes de alguma antiga raça, que, demorando-se na nossa costa, pusesse em nós as vagas esperanças de um futuro mundo a descobrir, de perdidas terras a conquistar ao mar?

Os sonhos cheios de encanto e melancolia, por tão longos tempos embalados pelo incessante murmúrio do mar bretão e pelo ciciar das florestas druídicas; o carinho da natureza pelo homem, traduzido nessas lendas piedosas em que os animais falam, os pássaros vêm fazer os ninhos na mão dos santos, e a voz das fadas se mistura com o ramalhar das árvores e o murmurar das águas; esse vaporoso e encantador botão da alma céltica, porventura desabrochava no espírito nacional português, quando a conclusão das guerras da independência assim o ordenou.

D. João de Castro, o marinheiro, tem, como um druída, o amor ingénuo da natureza: «Oh vergonha e grande cobiça dos homens, que por haver as desventuras dos metais cavam tanto a terra que lhe tiram fora as tripas, derribam grandes outeiros, abaixam ásperas e altíssimas serras no andar e olivel dos campos, e não contentes de estragarem tanto a terra, rompem e furam pelo mar por haverem uma perla — e para esculdrinhar uma obra maravilhosa da natureza são tímidos e preguiçosos!»

H E R C U L A N O

(1810-1877)

Herculano é dos poucos escritores que projectam uma grandeza ao mesmo tempo civil e literária na história do seu país. Não só como autor de uma História de Portugal que, apesar de restrita à Idade Média, ainda hoje é o nosso breviário de civismo, espécie de a outra face d'Os Lusíadas, a face prosa; como poeta: (bardo da Harpa do Crente, 1838), como narrador romanesco dos tempos heróicos da Península e da Nação (Eurico, 1844; Bobo, 1846; Monge de Cister 1848; Lendas e Narrativas); como uma espécie de profeta cívico — panfleto A Voz do Profeta (1836)—, sacerdote da «religião do juramento» e magistrado moral: foi a voz mais temida e autorizada durante perto do meio século em que se fez ouvir viva, desde a Revolução de Setembro (1836) até à tentativa de fundação de uma Cooperativa de Lavradores no distrito de Santarém (1877).

Descendente de pedreiros e mestres-de-obras, filho de um pequeno funcionário da Fazenda, cedo obrigado a ganhar o próprio sustento e o dos seus, Herculano reduziu os seus estudos a noções de comércio e paleografica; mas as humanidades e a lógica que lhe ensinaram os padres do Oratório eram sólidas. Precocemente metido na vida aventurosa e tumultuária da Lisboa miguelista, depois de curto contacto com uma tertúlia de árcades, conspirou e emigrou para Inglaterra, a fim de escapar à forca (1831). Da penúria de Plymouth passou a Rennes, onde meditava e lia. Os seus tempos de emigrado são narrados saborosamente numa bela página de viagens: De Jersey a Grandville. Passado à Ilha Terceira, foi bater-se como soldado no cerco do Porto; bibliotecário municipal, abandonou o emprego para não perjurar a Carta Constitucional (1834), trabalhando em Lisboa como jornalista («magazine» O Panorama), e logo como bibliotecário particular do Rei consorte (D. Fernando).

Todos os seus esforços se concentraram numa carreira de historiador que interroga as origens da nação, certo de que contribui para lhe clarificar a consciên-

27

cia e lhe abrir rumos coerentes de regeneração e bom governo. Propagador de «conhecimentos úteis» (Panorama), autor de narrativas e romances históricos, organizador de colecções documentais (Portugaliae Monumenta Historica), sócio da Academia das Ciências, toda a sua actividade intelectual obedece a um imperativo português, que ele supõe às vezes susceptível de repercussão política, e que assim o leva a rápidas e desiludidas incursões pela actividade parlamentar (deputado) e municipal (Presidente da Câmara Municipal de Belém).

Mas, se a sua influência junto dos partidos e dos homens de Estado foi passageira ou nula, o seu magistério moral e literário foi imenso. Garrett recolhia os aplausos dos anfiteatros e das salas; Herculano o entusiasmo dos jovens em crise de coração e de consciência, e o frenesim das multidões que, apesar de amorfas, gostam de aplaudir quem tem forma própria, desde o estilo ao carácter, e se bate com denodo e retumbância contra a moleza ambiente.

Reunindo os rapazes das novas gerações na sua tebaida de bibliotecário da Ajuda, levando uma vida admiravelmente equilibrada de lavrador retirado e de transeunte do Chiado, Herculano foi um homem prodigioso de meditação e de acção cívica, trabalhando como um beneditino e não se furtando a uma sociabilidade alegre e frequente, praticada à velha moda portuguesa, à roda do lume, da mesa e da frasqueira. Os seus fins-de-semana do Calhariz da Arrábida e os seus jantares dos sábados da Ajuda ficaram célebres. Um adversário político (o Visconde de Santarém) chamou a esse grupo literário: a Jovem Lusitânia.

O nervo do estilo de Herculano é uma sinceridade brusca e lógica, com todos os ardores de uma total e íntima adesão e com toda a luz de um discernimento impecável. Herculano é um poeta de tipo religioso, um salmista e um profeta. A sua comoção é eruptiva, verdadeira; o seu romantismo não conhece blandícias e é servido por uma arte poética desataviada e rude, mas por uma eloquência máscula. O que em Garrett é sedução e sinuosidade, ritmo delicado e alusão maliciosa, em Herculano é objurgatória, clamor, choro viril. À sua poesia, desordenada, falta melodia e elegância; mas as harmonias dos seus longos poemas à Arrábida, a Deus, à Cruz Mutilada, às Tristezas do Desterro, têm uma largueza e uma autenticidade que fazem perdoar todos os prosaísmos.

A prosa de Herculano, de giro largo e de vocábulo próprio e límpido, também não é feita para matizes psicológicos e efeitos subtis. O seu grande dom é o da lógica e o da nitidez descrita, às vezes um pouco pesada, mas solene, fiel, escultural. O discurso indutivo e dedutivo do historiador tem uma propriedade admirável, a que uma certa solenidade de toga dá emoção e força. Herculano sente muito bem a terra com o seu relevo e populações adstritas; e, embora uma excessiva sobriedade biográfica e descritiva o afaste da história artística, os seus quadros de batalha impressionam pela largueza e tecnicismo do dispositivo de *combate e pela boa escolha dos lances típicos e dos pormenores de plano. É uma história a que não falta sangue e pó, mas que se afirma principalmente pelo trabalho de fontes e por uma original e larga construção das instituições.*

[L I S B O A]
(SÉC. XV)

A TAVOLAGEM DO BESTEIRO

> *Ordenamos e estabelecemos por lei*
> *que nós nem outrem do nosso senhorio,*
> *de qualquer estado e condição que seja,*
> *nem tenha tavolagem em praça, nem*
> *em escondido.*
>
> LIVRO DAS LEIS E POSTURAS AN-
> TIGAS, *Lei de D. Afonso IV.*

QUEM hoje se encaminhar ao longo da rua vulgarmente chamada dos Capelistas, dobrar o penúltimo quarteirão da Rua Nova da Princesa e seguir pela Rua dos Confeiteiros, caminho da Ribeira Velha, terá passado por cima da sepultura das mais nobres ruínas da antiga Lisboa. A Rua Nova, designada assim por antonomásia, passava pouco mais ou menos pelo sítio em que hoje está lançada a Rua Nova de El-Rei: a sua origem remontava quase ao berço da monarquia e já no tempo de D. Fernando era o centro da actividade comercial da cidade, então frequentada de estrangeiros de diversas nações, que vinham buscar o nosso trato e comércio. Depois da feitura da nova muralha (1373-5) prolongava-se com esta e vinha findar nas proximidades da moderna igreja de S. Julião pelo lado do ocidente, enquanto pelo topo oriental terminava no Pelourinho Velho. Aqui, a povoação dividia-se como em dois troncos: um que, subdividido em muitos ramos de ruas enredadas e escuras, subia para a Alcáçova; outro que seguia ao longo da muralha e ia desembocar fora das Portas do Mar, no bairro chamado Vila Nova de Gibraltar. Entre estas duas divisões jazia a Alfama, a cuja frente se elevava a velha catedral. A Alfama fora no tempo do domínio sarraceno o arrabalde de Lisboa gótica; fora o bairro casquilho, aristocrático, alindado, culto quando a Medina Achbuna pousava enroscada tristemente no seu ninho de pedra, no que depois se chamou a Alcáçova e hoje o Castelo. Quando, porém, no século XIII a população cristã, alargando-se para o ocidente, veio expulsar os judeus do seu bairro primitivo, situado na actual cidade baixa, e os encantou para a parte do sul da catedral, a Alfama foi perdendo gradualmente a sua importância, e converteu-se afinal num bairro de gente miúda e, sobretudo, de pescadores. A Rua Nova, a porta de Lisboa, rica de seiva, chamara a redor de si toda a vida da povoação. A velha judiaria era agora o coração da cidade, e a Alfama, em parte feita plebeia, e judaizando em parte, viu pender e murchar a sua guapice, transitória e morredoura como todas as glórias do mundo.

Nesse bairro, no fim da rua chamada há séculos das Canastras, junto às Portas do Mar, corria uma casa baixa, mas solidamente edificada, a qual contrastava com as que lhe estavam próximas pela sua muita antiguidade: duas janelas, cujas vergas se arqueavam à feição de uma ferradura, abertas nos dois extremos da frontaria, a igual distância do largo e achatado portal que lhes ficava no meio, desdiziam das frestas pontiagudas e estreitas que davam luz às moradas vizinhas, bem como o portal, igualmente terminado em volta de ferradura, contrastava com as elegantes portadas góticas dos outros edifícios, cujos telhados angulosos e bordados de ameias também diversificavam do tecto daquele edifício mourisco, que oferecia aos seus habitadores um eirado espaçoso, onde pelas madrugadas serenas ou ao pôr do sol de um dia de Estio, podiam ir respirar uma viração mais pura, que raras vezes passava pelas ruas tortuosas, estreitas e imundas da velha cidade.

Eram perto das seis da tarde do dia seis de Maio do ano de 1389. No pequeno terreiro que dizia, pela parte inferior do muro, para as Portas do Mar, já mal se divisavam os objectos, porque a noite descia rapidamente do lado oriental, posto que ainda o clarão avermelhado do crepúsculo tingisse os altíssimos coruchéus azulejados que serviam de topo e remate às torres da catedral. Pelo arco escuro e profundo das Portas do Mar entrava grande multid o de povo miúdo, principalmente pescadores, que se recolhiam antes que a escuridão da noite tornasse mais temerosos os encruzilhados becos e ruas torcidas que davam para o interior de Alfama. Com estes se misturavam os judeus, que, vestidos como os cristãos e divisando-se-lhes escassamente os sinais vermelhos que traziam cosidos nas roupas sobre o estômago, corriam apressados para o seu bairro, situado mais ao oriente, junto à porta de Alfama, no ângulo da velha cerca, para lhes não sair da bolsa a inevitável multa que deviam pagar, sendo encontrados fora da judiaria depois de terem soado as três fatais badalados do *sino da oração*. Com igual ou mais rápido movimento, se viam branquejar os albornozes alvacentos dos Mouros no meio do encontrado perpassar de gente. Mais raros em número que os Judeus e seguindo diferente rumo, estes encaminhavam-se para a banda da antiga Porta de Ferro, de onde, atravessando pelo sopé da Alcáçova, desciam para o vale da Mouraria, cujo nome provinha de ser aí situado o bairro onde habitavam e onde, ao mesmo sinal das trindades, eram obrigados a recolher-se, sob pena de castigo igual ao que se impunha aos Judeus. O dia, pois, acabava, e a noite ia em breve estender o seu manto de escuridão e silêncio, sobre a vetusta cidade cabeça da boa e nobre terra de Portugal.

Encostado à ombreira do portal mourisco que dava entrada para a casa contígua às Portas do Mar acima descrita, um homem, que mostrava ser de idade de quarenta a quarenta e cinco anos, tinha os olhos pregados naquela mó de mesteirais, pescadores, vilãos, Judeus e Mouros que passavam como torrente, fazendo um borborinho infernal de gritos, risadas, motejos, cantigas e passadas a um tempo rápidas e ressonantes; ruído tal que fazia semelhar o pequeno terreiro a uma espécie de pandemónio. A personagem que contemplava esta cena popular era, pelo seu trajo, homem de armas, ou, pelo menos, besteiro de cavalo e, pela sua figura e aspecto, taful de obra grossa. Baixo, refeito e roliço, nariz rombo e vermelho, faces avultadas, rebarbativo e risonho, podê-lo-ia tomar por uma figura de Sileno quem para ele olhasse se naquele tempo houvesse alguém assaz lido em mitologias pagãs para se lembrar do jovial deus dos tonéis. Tinha vestido um tabardo de valenciana azul, umas calças de pano viado, ou de riscos, de Larantona, e por cima um capeirão de barregã: cobria-lhe a cabeça um sombreiro grande de lã: tinha calçados uns sapatos de couro branco, e para completar este trajo, um tanto aprimorado, trazia pendente da cinta de cordovão vermelho uma grande algibeira ou bolsa de argempel, onde já muito a custo se descobriam alguns reflexos metálicos.

A atenção com que o estafermo cuja figura e vestuário acabamos de examinar miudamente olhava para o tropel de povo que se recolhia não indicava a mera curiosidade de uma pessoa desocupada, que neste sensabor divertimento gastasse o tempo por não saber como o ocupar melhor. Conhecia-se, pelo estender do pescoço de espaço a espaço e pelo franzir dos sobrolhos, que ele esperava ansiosamente alguém que começava a tardar mais do que o bom do besteiro entendia ser justo. A sua impaciência não foi, todavia, posta a larga prova. Um moço de monte desceu correndo do lado da Sé e, chegando de leve ao pé do besteiro, que tinha os olhos fitos no vão da porta da cidade, já inteiramente obscurecido, bateu-lhe no ombro, dando-lhe um piparote na barba.

«Olé, Lourencinho amigo! Que imaginações vos trazem assim enlevado? Esperais dessa banda os vossos amores?»

«Nem migalha, Galeote — tornou o besteiro, voltando-se rapidamente e agarrando pelo braço o rapaz que se estorcia para lhe fugir. — Dês que El-Rei D. Fernando me deu quantia para besta de garrucha, aljava de cem virotes e rocim de encavalgar; depois que o carniceiro se converteu em homem de hoste, as mancebas parecem que fogem de mim.»

«Por vós esperava eu. Que novas do senhor Conde?»

«Aqui estará logo que tanja o sino de correr. Vim de volta pelo Porta de Ferro, porque... Mas, com a fortuna! Já eu ia badalar por onde vim, com quem falei, o que disse... Nada, nada, meu amo! Ponto em boca!»

«E que me importa a mim — acudiu o homem baixo e roliço — a mim, Lourenço Brás, besteiro de cavalo com tavolagem de fidalgos e homens de armas, em que pese às justiças de El-Rei, se pela banda da Sé, ou pela Vila Nova de Gibraltar Galeote Esteves, o moço de monte do Conde de Seia, me veio avisar de que seu nobre amo e senhor vinha esta noite com seus parceiros perder ou ganhar à jaldeta, ao curre-curre ou aos dados alguns centos de dobras de ouro na honrada casa de jogo das Portas do Mar, a que certos traidores cismáticos se atrevem a chamar casa de perdição? O que eu precisava de saber era se ele vinha de feito.»

«Virá, virá, e não só. E diz que tenhais prestes a colação do costume; mas algo mais avultada.»

«Então é noitada de vulto? Temos algum mercador judeu, prazentim ou flamengo a esfolar? Ou é o arrais da carraca de Alexandria que chegou há pouco, e que vem arrevezar com vomitório de dados as marcas esterlingas de bom ouro por que vendeu os açúcares rosados nas boticas da Rua Nova? Ou é...»

«Ou é, ou é, ou é» — interrompeu o trêfego rapaz imitando a voz rude do besteiro. — Não é nada disso, homem!»

«Então que é?»

«Eu sei lá!»

E o moço de monte desatou a rir. Depois, encolhendo uma perna, agarrou-a pelo tornozelo e pôs-se a saltar sobre a outra, volteando diante do gordo besteiro e cantando uma volta antiga:

«A que vi entre as amenas,
Deus! como parece bem!
E mirei-la das arenas:
Deus — e penado me tem.»

«Forte doido! — exclamou o besteiro. — Boa ocasião de cantar trovas velhas como a Sé.»

O rapaz soltou a perna esquerda, levantou a outra, volteou ainda mais rapidamente em sentido oposto e começou a trautear em diversa toada:

«Dama do corpo delgado,
Em forte ponto eu fui nado;
Que nunca perdi cuidado,
Nem afã, des que vos vi!
Em forte ponto eu fui nado,
Dama, por vós e por mim!»

Lourenço Brás era curioso. Quem não tem seu defeito? O moço de monte sabia alguma coisa que não queria dizer-lhe. Mas ele tinha receita experimentada para lhe desempeçar a língua. Puxou por um braço ao dançarino cantor e arrastou-o ao pé de si.

«Acaba já com esse chilrear de rouxinol de Maio. Se não me queres dizer quem vem com o senhor Conde, não digas. Repito-te

que não me importa. Mas entra cá um pouco e ao menos dir-
-me-ás se o vinho do besteiro é digno dos seus hóspedes. Entretanto eu porei a ceia ao lume para tudo estar a ponto. Tira-te
daí, que a noite vai húmida e fria, e cerra a porta após tu.»

Proferindo estas palavras, Lourenço Brás entrou, e Galeote
Esteves, sem lhe responder nada, seguiu-o arrastado por força
maior, mas sempre cantarolando. Agora, porém, a volta era
moderna: uma dessas cantigas que surgem da imaginação dos
Bethovenes populares em épocas revolucionárias e que se nacio-
nalizam com a rapidez do relâmpago:

> «Abite, abite, abite,
> Mate-te a mazela:
> Perro castelhano
> Vai-te pra Castela.
> Se é vinho de mais de ano,
> Venha uma escudela,
> Abite, abite, abite...»

«Vai cantar dessas trovas, Esteves, em casa do senhor Conde»
— disse o besteiro, voltando-se para trás e rindo.

«E porque não? Ele é tão bom vassalo de El-Rei como João
Rodrigues de Sá ou outro qualquer dos melhores.»

«Sim, depois de Aljubarrota, quando no seu Castelo de Sintra
já não podia ter voz muito tempo pelo cismático de Leão e Castela. Mas caluda, que ambos nós somos homens de sua mercê.»

Dizendo isto, os dois tinham atravessado um longo e escuro
corredor e achavam-se numa vasta quadra do edifício, a qual
ficava na extremidade dele junto com o muro da cidade. Cinco
lâmpadas de três lumes pendentes do tecto alumiavam este aposento, que durante o dia apenas recebia luz da janela mourisca
rasgada no ângulo do lado da muralha, janela que pouca luz lhe
podia transmitir, fechada como era por uma grade de ferro tão
vasta que melhor lhe caberia o nome de rede. Até à altura de cabeça

de homem as paredes da sala estavam forradas de tábuas de castanho, madeira de que igualmente era tecido o pavimento e construída uma banca desconforme colada no meio da casa. Uns como sofás, de encostos mui baixos nos topos e cobertos de picote de Palência que caíam até ao chão, viam-se enfileirados ao longo das paredes e ao redor da grande mesa, cuja superfície estava cheia de picadas de punhal, o que provava que os jogadores costumavam ter pronto e à mão juiz, senão recto, ao menos inflexível, que pusesse termo, bem que de modo um pouco violento, às suas altercações.

O besteiro apenas entrou encaminhou-se para uma descompassada chaminé, rasa com o chão e embebida na parede, onde ardiam algumas achas de zambujeiro: puxou para o lume dois grossos toros que estavam arrumados com outros ao fundo da lareira, tirou de um armário contíguo uma perna de boi quase inteira, pô-la em uma sertã com duas alentadas postas de toucinho e pendurou esta de um gancho que ficava por cima da fogueira; depois tornou ao armário e veio colocar sobre a mesa uma grande agomia de cobre cheia de vinho e duas taças de estanho, fazendo ao mesmo tempo sinal a Galeote Esteves para que se assentasse.

O moço de monte obedeceu, enquanto de pé o besteiro enchia as duas taças e empurrava uma para defronte dele.

«É do especial» — disse Galeote Esteves, depois de ter bebido, pousando a taça em cima da mesa e chupando a um tempo ambos os beiços.

«Não há pinga como esta dez léguas em volta» — respondeu Lourenço Brás, tornando a encher-lhe a malga, que o bom do Galeote Esteves despejou de um golpe com o mesmo garbo.

O besteiro pegou de novo na agomia e na taça para repetir a dose, depois de ter ido virar a carne que chiava na sertã.

«Tá, tá» — acudiu o moço de monte, pondo-se em pé e interpondo a mão devagarinho entre os dois vasos, nos quais se ia ainda uma vez fazer a demonstração de que os líquidos tendem a nivelar-se.

«Que diabo de homem és tu? — disse Lourenço Brás com aquele tom de mau humor que indica a boa vontade. — Impas com duas sedes de vinho? O capelão da mouraria, Zein-al-Din, que, segundo dizem, nunca lhe tomou o cheiro, não queria ter quebrado o preceito do seu maltido Alcorão se não tivesse bebido mais do que essas duas lágrimas dele, que duvido que te chegassem ao gasnete por pouco furados que tenhas os dentes.»

«Agora por mouraria!...» — exclamou o moço de monte, rindo a bom rir e pondo as mãos nas ilhargas, como se receasse estoirar.

«O quê?» — interrompeu o besteiro, aproveitando ao mesmo tempo a retirada das mãos de Galeote para lhe encher de novo a taça até as bordas.

«O quê? Uma vergonha para tavolageiros goliardos.»

«Vergonha! Pois quê? Falas comigo, rapaz?»

«Falo, falo! Vós, homem baptizado tamanino, andais-me comido de pecados em demanda do inferno, e um perro de um mouro, tornadiço [1], se não me engano, de há pouco, temo-lo de aqui a nada santo! *Vade retro Satana!*»

E Galeote deitava a língua de fora a Lourenço Brás, pulando diante dele e fazendo com os dedos índices uma cruz diante da cara do besteiro.

«Terçãs me comam, se te entendo, homem! Desembucha lá! Que diabo de santo é esse! — disse por fim o tavolageiro, depois de contemplar por algum tempo, de braços cruzados, as visagens e cabriolas do rapaz.

«Adivinhai, mícer Lourenço, adivinhai. Mais uma, mais duas,

---

[1] Tornadiços chamava o povo, como injúria, aos judeus e mouros convertidos.

mais três, senão arremato. Arrematei. É o jogral de Restelo; jogral e maninelo que foi; beato e santo que será.»

«Quem, o perro do Ale quinteiro que foliava por essas ruas, e que desapareceu desde o dia em que o atropelaram à Sé, quando tu e os outros velhacos da tua laia lhe estorroaram na cara lixo e terra, porque arrenegava de Cristo e de Mafamede, no meio das suas lástimas doridas?»

«Falou, meu gentil besteiro.»

«Ora essa!... Ah, ah, ah! — disse Lourenço Brás, fazendo a segunda à risada de Galeote. — De que freguesia é orago o novo santo?»

«Ainda não vai nessas alturas; mas espero que lá suba dentro em pouco — atalhou o moço de monte. — Tenho-o visto entrar e sair do Colégio de S. Paulo, e andar muito sisudo atrás do Fr. Lourenço Bacharel e daquele frade moço seu companheiro, com os olhos sempre no chão e com tais ademães de conversa ou beguíno, que parece um homem de Deus, de guisa que, a la fé, de todos os seus momos este último é o que mais me faz rir.»

«Ah! então o caso é outro — replicou o tavolageiro, bebendo o vinho que ainda tinha intacto diante de si. — Todavia, lá vai à saúde do futuro servo de Deus, que será canonizado, nanja pelo Padre Santo de Roma, mas pelo herege cismático que está em Avinhão. Anda, Galeote, bebe, e vamos a falar no que importa; dize-me quantos são os hóspedes que hoje...»

«À saúde de santo Ale, ex-jogral de ofício, e escolar de beato na estudaria de S. Paulo» — gritou Galeote Esteves, levando a taça à boca e já quase embriagado ao ponto em que o besteiro o queria.

... ...

CESÁRIO VERDE

(1855-1886)

Natural de Lisboa, Cesário Verde nasceu num meio familiar desafogado, de burgueses práticos e requintados. Seu pai tinha uma loja de ferragens na Rua dos Fanqueiros, no coração da capital, e casa e quinta nos arredores idílicos de Linda-a-Pastora, onde cultivava frutas de exportação, aproveitando-se dos seus conhecimentos do meio comercial da Baixa pombalina e das chegadas e partidas do porto de Lisboa. Estes dois ambientes tão íntimos de Cesário, que descansava das fainas da venda a retalho e da escrituração da loja nas podas e regas da quinta, reflectem-se no estilo e nos temas do seu Livro *único, publicado por um amigo (Silva Pinto) no ano em que o poeta morreu.*

O Sentimento de um Ocidental, *aqui incerto, pinta a Lisboa sobrevivente do século XVIII, que dissipara o património cosmopolita e imperial dos descobrimentos e conquistas, conservando um rumor de aventureiros e embarcadiços no seu dédalo de solares e de conventos, e sobrepondo a este fundo um rudimento de capital moderna com preocupações mundanas, sociais, literárias — saboroso misto de metrópole peninsular, católica e reclusa, e de empório atlântico aberto às sugestões contraditórias dos continentes longínquos e da Europa parisiense e costeira.*

Cesário funde admiravelmente estes elementos da Cidade: a vida bulhenta e variegada das ruas, a pasmaceira de esquinas e de praças, o fumo dos cafés. Lojas, repartições, caixeiros, burocratas, marialvas e padres — um prelado que passa num coupé; *uma actrizita que abala de manhã para o ensaio e atravessa «covas, entulhos, lamaçais, depressa», no meio de robustos calceteiros que se endireitam para a verem. Os operários das fábricas e arsenais, os vendilhões, as varinas «sacudindo as ancas opulentas», literatos e mirones, prédios, tipóias, os carpinteiros que «saltam de viga em viga»... E sobre tudo isto a atmosfera luminosa da Lisboa do Tejo, das colinas e das hortas, de que Eça de Queirós, Gomes*

Leal e Fialho fizeram também os seus temas; a tristeza do anoitecer, a grandeza baça do porto apetrechado, que Fernando Pessoa cantará num delírio de poema mecânico (Ode Marítima), invocando Cesário como o mestre que lhe ensinou a poesia dos paquetes no rio das naus e das fragatas. Enfim, O Sentimento de um Ocidental, resumido pelo próprio Cesário, é feito de «soturnidade» e de «melancolia».

Cesário contraponta estes temas e tons da Cidade baudelairiana e marítima com o ideal de vida sã e simples, teoricamente herdado de Ramalho Ortigão e literariamente preludiado por Júlio Dinis, mas agora enriquecido pela nota elegante das inglesas desportivas e angélicas, que António Nobre estilizará um pouco no rasto romântico mas algo pesado de Uma Família Inglesa de Júlio Dinis, ramo novelístico das Viagens na Minha Terra, de Garrett. Para Nobre ficará a poesia dandy e irreal das inglesinhas de Leça, enquanto Cesário desenha a forte e casta irlandesa álgida do poema Manhãs Brumosas, e, em geral, a mulher simples, fresca e afoita, que contrasta com o tipo romântico da portuguesinha lânguida e tímida.

No quadro colorido, prosaico e cru da poesia de Cesário, em que os objectos são recortados com vigor e com uma espécie de técnico virtuosismo — utensílios, ferramentas, frutas, animais, indumentária —, paira uma penumbra vaga, ritmo do sangue de alguém que se não desmancha nunca, uma calma imposta, contida, cujo doloroso preço se vai por assim dizer amoedando em sílabas e acentos milagrosos. Cesário trata o concreto como quem leva consigo a medida do essencial e do poético e só pede às coisas verdade e forma autêntica. O seu lirismo é casto sem a hipocrisia que esconde o gosto da nudez e da força. A «pastora audaz da religiosa Irlanda» é o seu ideal de mulher, veraz, vigorosa e simples, cuja ternura deixou de ser uma artimanha de sexo para emanar da saúde física e moral. Esse vulto feminino reaparece, atenuado pelo amor fraterno e pela fragilidade da doença, no quadro (Nós) em que Cesário pinta a sua vida de família, na quinta paterna, entre a natureza e a faina quotidiana, os sentimentos puros de uma irmã com quem vai de mãos dadas à horta e ao pomar e que a morte um dia leva deixando um rasto de recordações e de bênçãos.

O estilo de Cesário simplica o baudelairianismo de que literariamente deriva. O seu esforço de concretização e de desprendimento das convenções líricas e clássicas atinge o máximo limite. Mas o prosaísmo consciente de que é feito acaba por salvar-se à força de ritmos ousados, de imagens directas, de pureza vocabular, e enfim de um surto poético em que se fundem elegia e bucólica, graça e força, alegria vital, elegância civilizada e leve sonho.

[L I S B O A]
(SÉC. XIX)

O SENTIMENTO DE UM OCIDENTAL

I

AVE-MARIAS

Nas nossas ruas, ao anoitecer,
Há tal soturnidade, há tal melancolia,
Que as sombras, o bulício, o Tejo, a maresia
Despertam-me um desejo absurdo de sofrer.

O céu parece baixo e de neblina,
O gás extravasado enjoa-me, perturba;
E os edifícios, com as chaminés, e a turba,
Toldam-se duma cor monótona e londrina.

Batem os carros de aluguer, ao fundo,
Levando à via férrea os que se vão. Felizes!
Ocorrem-me em revista exposições, países:
Madrid, Paris, Berlim, São Petersburgo, o mundo!

Semelham-se a gaiolas, com viveiros,
As edificações somente emadeiradas:
Como morcegos, ao cair das badaladas,
Saltam de viga em viga os mestres carpinteiros.

Voltam os calafates, aos magotes,
De jaquetão ao ombro, enfarruscados, secos,
Embrenho-me, a cismar, por boqueirões, por becos,
Ou erro pelos cais a que se atracam botes.

E evoco, então, as crónicas navais:
Mouros, baixéis, heróis, tudo ressuscitado!
Luta Camões no mar, salvando um livro a nado!
Singram soberbas naus que eu não verei jamais!

E o fim da tarde inspira-me, e incomoda!
De um couraçado inglês vogam os escaleres;
E em terras num tinir de louças e talheres
Flamejam, ao jantar, alguns hotéis da moda.

Num trem de praça arengam dois dentistas;
Um trôpego arlequim braceja numas andas;
Os querubins do lar flutuam nas varandas;
Às portas, em cabelo, enfadam-se os lojistas!

Vazam-se os arsenais e as oficinas;
Reluz, viscoso, o rio, apressam-se as obreiras;
E num cardume negro, hercúleas, galhofeiras,
Correndo com firmeza, assomam as varinas.

Vêm sacudindo as ancas opulentas!
Seus troncos varonis recordam-me pilastras;

E algumas, à cabeça, embalam nas canastras
Os filhos que depois naufragam nas tormentas.

Descalças! Nas descargas do carvão,
Desde manhã à noite, a bordo das fragatas!
E apinham-se num bairro aonde miam gatas
E o peixe podre gera os focos de infecção!

II

NOITE FECHADA

Tocam-se as grades, nas cadeias. Som
Que mortifica e deixa umas loucuras mansas!
O Aljube, em que hoje estão velhinhas e crianças,
Bem raramente encerra uma mulher de «dom»!

E eu desconfio, até, de um aneurisma:
Tão mórbido me sinto, ao acender das luzes;
À vista das prisões, da Sé, das cruzes,
Chora-me o coração que se enche e que se abisma.

A espaços, iluminam-se os andares,
E as tascas, os cafés, as tendas, os estancos
Alastram em lençol os seus reflexos brancos:
E a lua lembra o circo e os jogos malabares.

Duas igrejas num saudoso largo,
Lançam a nódoa negra e fúnebre do clero:
Nelas esfuma um torvo inquisidor, severo,
Assim que pela História eu me aventuro e alargo.

Na parte que abateu no terramoto,
Muram-me as construções rectas, iguais, crescidas;
Afrontam-me, no resto, as íngremes subidas,
E os sinos de um tanger monástico e devoto.

Mas num recinto público e vulgar,
Com bancos de namoro e exíguas pimenteiras,
Brônzeo, monumental, de proporções guerreiras,
Um épico de outrora ascende, num pilar!

E eu sonho o Cólera, imagino a Febre,
Nesta acumulação de corpos enfezados;
Sombrios e espectrais recolhem os soldados;
Inflama-se um palácio em face de um casebre.

Partem patrulhas de cavalaria
Dos arcos dos quartéis que já foram conventos;
Idade Média! A pé, outras, a passos lentos,
Derramam-se por toda a capital, que esfria.

Triste cidade! Eu temo que me avives
Uma paixão defunta! Aos lampeões distantes,
Enlutam-se, alvejando, as tuas elegantes,
Curvadas, a sorrir às montras dos ourives.

E mais: as costureiras, as floristas
Descem dos «magasins», causam-me sobressaltos;
Custa-lhes a elevar os seus pescoços altos
E muitas delas são comparsas ou coristas.

E eu, de luneta de uma lente só,
Eu acho sempre assunto a quadros revoltados;

Entro na «brasserie»; às mesas de emigrados,
Ao riso e à crua luz joga-se o dominó.

III

AO GÁS

E saio. A noite pesa, esmaga. Nos
Passeios de lajedo arrastam-se as impuras.
Ó moles hospitais! Sai das embocaduras
Um sopro que arrepia os ombros quase nus.

Cercam-me as lojas, tépidas. Eu penso
Ver círios laterais, ver filas de capelas,
Com santos e fiéis, andores, ramos, velas,
Em uma catedral de um comprimento imenso.

As burguesinhas do catolicismo
Resvalam pelo chão minado pelos canos;
E lembram-me, ao chorar dolente dos pianos,
As freiras que os jejuns matavam de histerismo.

Num cuteleiro, de avental, ao torno,
Um forjador maneja um malho, rubramente;
E numa padaria exala-se, inda quente,
Um cheiro salutar e honesto a pão no forno.

E eu que medito um livro que exacerbe,
Quisera que o real e a análise mo dessem;
Casas de confecções e modas resplandecem;
Pelas vitrinas olha um ratoneiro imberbe.

Longas descidas! Não poder pintar
Com versos magistrais, salubres e sinceros,
A esguia difusão dos vossos revérberos,
E a vossa palidez romântica e lunar!

Que grande cobra, a lúbrica pessoa,
Que espartilhada escolhe uns xailes com debuxo!
Sua Excelência atrás, magnética, entre luxo,
Que ao longo dos balcões de mogno se amontoa.

E aquela velha, de bandós! Por vezes,
A sua «traine» imita um leque antigo, aberto,
Nas barras verticais, a duas tintas. Perto,
Escarvam, à vitória, os seus meclemburgueses.

Desdobram-se tecidos estrangeiros;
Plantas ornamentais secam nos mostradores;
Flocos de pós de arroz pairam sufocadores,
E em nuvens de cetins requebram-se os caixeiros.

Mas tudo cansa! Apagam-se nas frentes
Os candelabros, como estrelas, pouco a pouco;
Da solidão regouga um cauteleiro rouco;
Tornam-se mausoléus as armações fulgentes.

«Dó da miséria!... Compaixão de mim...»
E nas esquinas, calvo, eterno, sem repouso,
Pede-me sempre esmola um homenzinho idoso,
Meu velho professor nas aulas de latim!

IV

HORAS MORTAS

O tecto fundo de oxigénio, de ar,
Estende-se ao comprido, ao meio das trapeiras;
Vêm lágrimas de luz dos astros com olheiras,
Enleva-me a quimera azul de transmigrar.

Por baixo, que portões! Que arruamentos!
Um parafuso cai nas lajes, às escuras:
Colocam-se taipais, rangem as fechaduras,
E os olhos de um caleche espantam-me, sangrentos.

E eu sigo, como as linhas de uma pauta,
A dupla correnteza augusta das fachadas;
Pois sobem, no silêncio, infaustas e trinadas,
As notas pastoris de uma longínqua flauta.

Se eu não morresse, nunca! E eternamente
Buscasse e conseguisse a perfeição das coisas!
Esqueço-me a prever castíssimas esposas,
Que aninhem em mansões de vidro transparente!

Ó nossos filhos! Que sonhos ágeis,
Pousando, vos trarão a nitidez às vidas!
Eu quero as vossas mães e irmãs estremecidas,
Numas habitações translúcidas e frágeis.

Ah! Como a raça ruiva no porvir,
E as frotas dos avós, e os nómadas ardentes,
Nós vamos explorar todos os continentes
E pelas vastidões aquáticas seguir!

Mas se vivemos, os emparedados,
Sem árvores, no vale escuro das muralhas!...
Julgo avistar, na treva, as folhas das navalhas
E os gritos de socorro ouvir estrangulados.

E nestes nebulosos corredores
Nauseiam-me, surgindo, os ventres das tabernas:
Na volta, com saudade, e aos bordos sobre as pernas
Cantam, de braço dado, uns tristes bebedores.

Eu não receio, todavia, os roubos,
Afastam-se, a distância, os dúbios caminhantes;
E sujos, sem ladrar, ósseos, febris, errantes,
Amareladamente, os cães parecem lobos.

E os guardas, que revistam as escadas
Caminham de lanterna e servem de chaveiros;
Por cima, as imorais, nos seus roupões ligeiros,
Tossem, fumando, sobre as pedras das sacadas.

E, enorme, nesta massa irregular
De prédios sepulcrais, com dimensões de montes,
A dor humana busca os amplos horizontes,
E tem marés, de fel, como um sinistro mar!

NÓS

Fecho os olhos cansados, e descrevo,
Das telas da memória retocadas,
Biscates, hortas, batatais, latadas,
No País montanhoso, com relevo!

Ah! Que aspectos benignos e rurais
Nesta localidade tudo tinha,
Ao ires, com o banco de palhinha,
Para a sombra que faz nos parreirais.

Ah! Quando a calma, à sesta, nem consente
Que uma folha se mova ou se desmanche,
Tu, refeita e feliz com o teu *lunch,*
Nos ajudavas voluntariamente!...

Era admirável — neste grau do Sul!
Entre a rama avistar teu rosto alvo,
Ver-te escolhendo a uva diagalvo,
Que eu embarcava para Liverpool.

A exportação de frutas era um jogo!
Dependiam da sorte do mercado
O boal, que é de pérolas formado,
E o ferral, que é ardente e cor de fogo!

Em Agosto, ao calor canicular,
Os pássaros e enxames tudo infestam;
Tu cortavas os bagos que não prestam
Com a tua tesoura de bordar.

Douradas, pequeninas, as abelhas,
E negros, volumosos, os besoiros,
Circundavam, com ímpetos de toiros,
As tuas candidíssimas orelhas.

Se uma vespa lançava o seu ferrão
Na tua cútis — pétala de leite!
Nós colocávamos dez réis e azeite
Sobre a galante, a rósea inflamação!

E se um de nós, já farto arrenegado,
Com o chapéu caçava a bicharia,
Cada zângão voando, à luz do dia,
Lembrava o teu dedal arremessado.

*

Que de encantos! Na força do calor
Desabrochavas no padrão da bata,
E, surgindo da gola e da gravata,
Teu pescoço era o caule duma flor!

Mas que cegueira a minha! Do teu porte
A fina curva, a indefinida linha,
Com bondades de herbívora mansinha,
Eram prenúncios de fraqueza e morte!

À procura da libra e do *shilling,*
Eu andava abstracto e sem que visse
Que o teu alvor romântico de *miss*
Te obrigava a morrer antes de mim!

52

É antes tu, ser lindíssimo, nas faces
Tivesses «pano» como as camponesas;
E sem brancuras, sem delicadezas,
Vigorosa e plebeia, inda durasses!

Uns modos de carnívora feroz
Podias ter, em vez de inofensivos;
Tinhas caninos, tinhas incisivos,
E podias ser rude como nós!

Pois neste sítio que era de sequeiro,
Todo o género ardente resistia,
E, à larguíssima luz do meio-dia,
Tomava um tom opálico e trigueiro!

*

Sim, Europa do Norte, o que supões
Dos vergéis que abastecem teus banquetes,
Quando às docas, com frutas, os paquetes
Chegam antes das tuas estações?!

Oh! As ricas «primeurs» da nossa terra
E as suas frutas ácidas, tardias,
No azedo amoniacal das queijarias
Dos fleumáticos *farmers* da Inglaterra!

Ó cidades fabris, industriais,
De nevoeiros, poeiradas de hulha,
Que pensais do país que vos atulha
Com a fruta que sai dos seus quintais?

Todos os anos, que frescor se exala!
Abundâncias felizes que eu recordo!
Carradas brutas que iam para bordo!
Vapores por aqui fazendo escala!

Uma alta parreira moscatel!
Por doce não servia para embarque:
Palácios que rodeiam Hyde-Park,
Não conheceis esse divino mel!

Pois a Coroa, o Banco, o Almirantado,
Não as têm nas florestas em que há corças,
Nem em vós que dobrais as vossas forças,
Pradarias dum verde ilimitado!

Anglo-saxónios, tendes que invejar!
Ricos suicidas, comparai convosco:
Aqui tudo espontâneo, alegre, tosco,
Facílimo, evidente, salutar!

Oponde às regiões que dão os vinhos
Vossos montes de escórias inda quentes!
E as febris oficinas estridentes
Às nossas tecelagens e moinhos!

E, ó condados mineiros! Extensões
Carboníferas! Fundas galerias!
Fábricas a vapor! Cutelarias!
E mecânicas, tristes fiações!

Bem sei que preparais correctamente
O aço e a seda, as lâminas e o estofo:

Tudo o que há de mais fácil, de mais fofo,
Tudo o que há de mais rijo e resistente!

Mas isso tudo é falso, é maquinal,
Sem vida, como um círculo ou um quadrado,
Com essa perfeição do fabricado,
Sem o ritmo do vivo e do real!

E cá o santo sol sobre isso tudo
Faz conceber as verdes ribanceiras!
Lança as rosáceas belas e fruteiras
Nas searas de trigo palhagudo!

Uma aldeia daqui é mais feliz,
Londres sombria, em que cintila a Corte!...
Mesmo que tu, que vives a compor-te,
Grande seio arquejante de Paris!

Ah! Que de glória, que de colorido,
Quando, por meu mandado e meu conselho,
Cá se empapelam «as maçãs de espelho»
Que Herbert Spencer talvez tenha comido!

Para alguns são prosaicos, são banais
Estes versos de fibra suculenta;
Como se a polpa que nos dessedenta
Nem ao menos valesse uns madrigais!

Pois o que a boca trava com surpresa,
Senão as frutas tónicas e puras!
Ah! num jantar de carnes e gorduras
A graça vegetal das sobremesas!

Jack, marujo inglês, tu tens razão
Quando, ancorando em portos como os nossos,
As laranjas com casca e caroços
Comes com bestial sofreguidão!

*

A impressão de outros tempos, sempre viva
Dá estremeções no meu passado morto,
E inda viajo, muita vez, absorto,
Pelas várzeas da minha retentiva.

Então recordo a paz familiar,
Todo um painel pacífico de enganos!
E a distância fatal duns poucos de anos
É uma lente convexa, de aumentar.

Todos os tipos mortos ressuscito!
Perpetuam-se assim alguns minutos!
E eu exagero os casos diminutos
Dentro dum véu de lágrimas bendito.

Pinto quadros por letras, por sinais,
Tão luminosos como os de Levante,
Nas horas em que a calma é mais queimante,
Na quadra em que o Verão aperta mais.

Como destacam, vivas, certas cores,
Na vida externa cheia de alegria!
Horas, vozes, locais, fisionomias,
As ferramentas, os trabalhadores!

Aspiro um cheiro a cozedura, e a lar
E a rama de pinheiro! Eu adivinho
O resinoso, o tão agreste pinho
Serrado nos pinhais da beira-mar.

Vinha cortada, aos feixes, a madeira,
Cheia de nós, de imperfeições, de rachas;
Depois armavam-se num pronto as caixas
Sob uma calma espessa e calaceira!

Feias e fortes! Punham-lhes papel,
A forrá-las. E em grossa serradura
Acamava-se a uva prematura
Que não deve servir para tonel!

Ó pobre estrume, como tu compões
Estes pâmpanos doces como afagos!
«Dedos de dama»: transparentes bagos!
«Tetas de cabra»: lácteas carnações!

E não eram caixitas bem dispostas
Como as passas de Málaga e Alicante;
Com sua forma estável, ignorante,
Estas pesavam, brutalmente, às costas!

Nos vinhatórios via fulgurar,
Com tanta cal que torna as vistas cegas,
Os paralelogramos das adegas,
Que têm lá dentro as dornas e o lagar!

Que rudeza! Ao ar livre dos estios,
Que grande azáfama! Apressadamente

Como soava um martelar frequente,
Véspera da saída dos navios!

Ah! Ninguém entender que ao meu olhar
Tudo tem certo espírito secreto!
Com folhas de saudades um objecto
Deita raízes duras de arrancar!

As navalhas de volta, por exemplo,
Cujo bico de pássaro se arqueia,
Forjadas no casebre duma aldeia,
São antigas amigas que eu contemplo!

Elas, em seu labor, em seu lidar,
Com sua ponta como a das podoas,
Serviam probas, úteis, dignas, boas,
Nunca tintas de sangue e de matar.

E as enxós de martelo, que dum lado
Cortavam mais do que as enxadas cavam,
Por outro lado, rápidas, pregavam,
Duma pancada, o prego fasquiado!

O meu ânimo verga na abstracção,
Com a espinha dorsal dobrada ao meio;
Mas se de materiais descubro um veio
Ganho a musculatura dum Sansão!

E assim — e mais no povo a vida é corna —
Amo os ofícios como o de ferreiro,
Com seu fole arquejante, seu braseiro,
Seu malho retumbante na bigorna!

E sinto, se me ponho a recordar
Tanto utensílio, tantas perspectivas,
As tradições antigas, primitivas;
E a formidável alma popular!

Oh! Que brava alegria eu tenho, quando
Sou tal-qual como os mais! E, sem talento,
Faço um trabalho técnico, violento,
Cantando, praguejando, batalhando!

RAMALHO ORTIGÃO

(1836-1915)

Nascido no Porto, da classe média, a infância e a adolescência de Ramalho discorreram em plena atmosfera de crise da burguesia da cidade, que a vaga romântica sacudia nos seus sentimentos inalteráveis e nos seus costumes patriarcais. Ramalho deixou-nos um quadro perfeito desse seu mundo antigo no longo prefácio que escreveu para uma reedição do Amor de Perdição, de Camilo, o escritor que melhor reflecte essa crise na sua conduta de «leão» das salas e na pintura das meninas angélicas, escravas do bronco zelo e do despotismo paternais.

Esse contraste entre o anelo sentimental dos rapazes letrados e galantes de 1840, impetuoso e sincero, mas desaforado e anárquico, e a pacatez rotineira de uma sociedade solidamente implantada no comércio sedentário e na virtude que nada experimenta nem arrisca impressionou o rapazinho já nado noutros signos, testemunha indiferente de tais pugnas. Dessa primeira e natural operação de crítica nasceria em grande parte o equilíbrio pessoal de Ramalho, a segura expansão do seu ser livre num condicionamento social sensato e tranquilamente aceite.

O espectáculo de uma cidade operosa e castiça, colocada no cerne da nação agrária e mesteiral, agora agitada pelas convulsões da política liberal e da sensibilidade romântica, chamou a atenção do escritor para o que havia de autêntico nas gerações revolucionárias, sem o cegar para o balanço dos valores burgueses ferozmente resistentes a esse assalto e a esse abalo. Assim, nos quadros de costumes que esmaltam As Farpas (1871-1877), panfleto em fascículos começado de colaboração com Eça de Queirós (Uma Campanha Alegre) e logo transformado em tribuna pessoal de Ramalho, é impressionante a objectividade com que o jornalista pinta a sociedade portuguesa nova, instalada numa terra apartada e conservadora de formas multisseculares de habitação e de usufruto, ridente nas suas perspectivas, retrógrada mas casta nos seus usos, atravessada por um vago frémito de novidade, a que a tradição e o instinto de conservação opunham tenaz resistência.

Clássicos e românticos em literatura, absolutistas e liberais em política, puritanos e frenéticos em sociabilidade, católicos de lausperenne *e católicos lamartinianos ou ateus em religião, a razão era de ninguém e de todos. Se o bom senso estava com os primeiros, o espírito novo inclinava-se para os últimos. A fórmula portuguesa seria, pois, qualquer coisa como bom senso na novidade e novidade no bom senso. E Ramalho fez-se definidor e apóstolo desta fórmula.*

Criado por um tio frade e por um pai soldado, que lhe deram os modelos vivos do Português antigo, austero e sensível; formado numa cidade séria e activa, rodeada de ribas e de campos frescos e bem aproveitados, Ramalho não se deixou arrastar pelo individualismo extremista que caracteriza a geração em que enfileira, e ficou um homem da rua no forro de um janota e globe-trotter.

Na questão «Bom-senso e Bom-gosto», que em 1865 agitou as hostes letradas do País e serviu de bandeira à geração realista e socializante, discípula do naturalismo francês e da filosofia alemã, contra os sobreviventes do romantismo e do constitucionalismo, amesendados, Ramalho intervém por Castilho, corifeu conservador, contra Antero de Quental, arcanjo da Revolução, com quem se bateu em duelo. Se Castilho não era seu mestre nas ideias e no crochet *literário, era seu parente de sangue na sensibilidade clássica, no génio verbal concreto, no gosto do castiço e do pitoresco. O Garrett elegante e tradicionalista das* Viagens na Minha Terra *dera-lhe, durante uma convalescença, a chave do seu destino de escritor consagrado à terra e ao homem português. Mas o Herculano moral e doutrinário, que Antero e Oliveira Martins admiravam e cujo juízo os fazia tremer ao embrenharem-se nos novos caminhos da acção e da vida espiritual, jamais o comoveu. Achou-o sempre um tanto postiço e inumano. As suas atitudes proféticas e censórias irritavam-no.*

A posição de Ramalho entre os intelectuais, seus contemporâneos e camaradas de letras, é, apesar de um convívio estreito e de uma solidariedade aparentemente completa, de neutralidade e de compromisso. Coincidente com eles no descontentamento provado por uma sociedade estagnada e na necessidade de a reformar e sacudir profundamente, a falta de um pensamento penetrante e especulativamente formado impediu Ramalho de participar do verdadeiro esforço espiritual que um Antero e um Oliveira Martins amplamente encarnaram.

Elegante e moderno como Eça, seu colaborador nas Farpas *e num folhetim romanesco (O* Mistério da Estrada de Sintra), *Ramalho não tinha a imaginação do romancista nem a sua fina intuição do magistério espiritual que Antero e Oliveira Martins exerciam consagrando-se à metafísica e à filosofia da história. O seu talento era grande, mas «menor»; a sua crítica, fina e metódica enquanto aplicada às formas concretas da civilização que o rodeavam e solicitavam, não se aventurava às sínteses que seduziam a universalidade daqueles espíritos. Rea-*

lista social e literário, o seu realismo é inventariante, programático de pequenas e grandes reformas do habitat, da conduta civil, do apetrechamento técnico, da saúde física e moral.

O programa expresso e implícito na campanha das Farpas é uma revista à sociedade portuguesa e ao seu património fundiário e móvel, ao modo como aproveita o seu meio natural e como aplica o seu tempo. A ironia e o bota-abaixo não são em Ramalho, como em Eça, um sistema de erosão moralística, em ordem a dar largas à verve e a substituir um mundo de instituições abaladas e de costumes caricatos por um universo estético de espectador elegante e enfastiado. Se há caricatura nas Farpas, o caricaturista é um pedagogo que, antes de esboçar o bom modelo, abre os olhos ao aluno para os inconvenientes e os ridículos do modelo a desterrar.

Paisagens, monumentos, indústrias caseiras, actividades tradicionais, política, praxes, religião, tudo é tomado segundo um perfil casuístico, descritivo, didáctico, utilitário. Ramalho prega a necessidade de o Português aceitar os seus limites, aprendendo «lá fora» o indispensável para uma técnica do «cá dentro». Não o preocupa, como a Oliveira Martins, definir o génio nacional incarnado na história, mas recensear as coisas pátrias e diagnosticar os pequenos e grandes males do homem que vive delas.

Fidelidade ao torrão seria a sua divisa; modéstia, higiene e alacridade a cartilha do seu pacato humanismo português. Assim, a sua obra é uma espécie de vistoria minuciosa à «pequenina casa lusitana», a fim de a consolidar, ampliar e actualizar, sem lhe alterar o sabor antigo e rústico. Os dois tomos da Arte Portuguesa testemunham uma estética comedida, que toma a obra de arte na sua adequação expressiva aos fins de monumentos e de objectos — estética de sólido pormenor, mais atenta ao bem-feito que ao atrevimento simbólico ou ao surto universalista.

Se em arquitectura saboreia e entende o valor nacional dos grandes e médios monumentos, se compreende como poucos o alcance do solar de província e da construção civil castiça, em pintura as suas predilecções vão para os quadros etnográficos de Malhoa, para a figuração de recinto popular e para os temas salubres, de ar livre. A sua crítica literária, excelente na captação dos meios estilísticos e no apreço das contribuições étnicas de cada escritor considerado, é pouco subtil no registo dos valores profundos de uma dada criação e na descoberta de intenções de poesia e de pensamento.

Onde o seu génio crítico, porém, dá todo o rendimento é na morfologia étnica e técnica do homem, na observação da sua conduta moral e, ainda melhor, do seu comportamento de conjunto perante o meio natural. Escritor de viagens, Ramalho é mestre na descoberta das feições cosmopolitas, do génio prático de um povo traduzido na cobertura de trabalho do seu solo, na sua ética, no seu civismo, no estilo da sua vida urbana, rural e marítima (A Holanda). O tacto com que surpreende, na campanha das Farpas, os matizes das províncias portuguesas, é o mesmo com que define uma Holanda atravessada sem a posse da língua respectiva, mas com o vocabulário das coisas e das atitudes instintivamente aprendido.

Ao serviço destes dons de relacionação e de análise, Ramalho punha um estilo próprio, vagoroso como o ritmo que convém à dissertação e ao inventário, mas elegante e impressivo, fixador admirável de contornos, nobre sem deixar de ser correntio e chão, e tão pictural como lógico. A escrita de Ramalho é sólida na gramática e na matéria. Pode dizer-se que o substantivo é a força do seu léxico e da sua inspiração. Prosa que lembra os clássicos pela pureza de elementos e pelo arredondado dos giros, fez-se moderna ao contacto com a fala viva e com o naturalismo crítico que norteia a cultura do seu tempo.

Se as suas páginas não respiram uma espiritualidade do timbre da de Antero, nem a largueza construtiva, impressionista e ideológica de Oliveira Martins ou mesmo a poética e irónica fantasia de Eça de Queirós, são equivalentes às deles em vigor e modernidade, trabalhando, por assim dizer, os temas que eles trataram mas pelo lado concreto, aplicável.

[O PORTO EM 1850]

P ARA quem não souber o que era há quarenta anos a cidade do Porto será já hoje difícil a análise sociológica dos romances de Camilo Castelo Branco. E é sobre essa análise que tem de basear-se, com relação aos livros deste escritor, o estudo dos personagens, dos costumes e do cenário, bem como o da escolha do assunto, conscientemente ou inconscientemente feita em vista da orientação moral, do sentimento poético, da receptividade artística do grupo de leitores, que todo o romance se destina a interessar e a comover.

Em 1850 o Porto parecia-se mais com o estreito e cavo burgo medieval que Garrett descreve no *Arco de Santana* do que com a cidade comercial, civilizadamente cosmopolita, incaracterística e banal, que hoje é.

Algumas ruas tinham o aspecto mais interessantemente arqueológico ou mais vivamente pitoresco. A antiga Banharia era ainda a esse tempo quase exclusivamente habitada por latoeiros. Tinha toda ela um tom doirado produzido pela refracção da luz nas bacias, nos tachos, nos candeeiros de três bicos, em cobre polido, pendurados às portas; e o permanente martelar dos arames aviventava-a com o mesmo ruído laborioso e alegre do tempo em que a Aninhas

5

morava ali perto, ao bendito Arco da Senhora Santana. A angustiada e tortuosa Reboleira, calçada de enormes lajedos de granito, com os prédios em ressalto na altura do primeiro andar, como nas velhas ruas de Flandres, deixando apenas ver do céu, por entre os beirais dos telhados, uma estreita fita azul e serpenteante, era fechada à borda do mar pelo gótico arco da Porta Nobre; e às três horas da tarde, no Verão, envolvia-a já uma sombra de crepsúsculo, a que o cheiro picante e aperitivo das aduelas batidas pelos tanoeiros à porta de cada loja dava uma refrigerante sensação de adega. A Rua dos Hortas lembrava um trecho de bairro antigo de Tânger ou de Marrocos, coberta com os seus largos toldos de linhagem branca, cheia de cães de caça, semi-selvagens, podengos e galgos, que dormiam estiraçados a toda a largura e a toda a extensão da rua, por entre os feixes de verga de ferro e os balotes de linho em rama.

Os bons mercadores dos Clérigos, da Rua Nova dos Ingleses e da Rua das Flores, muitos deles antigos soldados dos batalhões da Carta ou dos Voluntários da Rainha durante o Cerco, ex-oficiais da Guarda Nacional sob o governo da Junta no tempo da Patuleia, falavam à gente, pimpando detrás dos seus balcões ou das suas carteiras com a mesma catadura imponente e majestática que teriam nas cadeiras curuis das casas do concelho portucalense, ou de cima das burras de juízes do povo em dia de real cortejo, ao som jubiloso dos atabales e das charamelas pela Ribeira Nova.

Eram eles — diziam com persuasiva ênfase — os que se tinham batido nas linhas ao lado do Imperador contra as tropas de D. Miguel; eles os que de baioneta à ilharga, patrona nos rins e escopeta ao ombro, tinham dado à Nação as instituições modernas, e à senhora D. Maria II o trono dos seus avós; eles os que guardavam, com uma das vísceras de D. Pedro IV, a chave do bem conhecido *baluarte das liberdades pátrias,* e das *arrojadas iniciativas,* eles os que pela enérgica resistência da sua atitude tinham feito fugir para Lisboa, corrido, achichelado, o famigerado régulo José Cabral,

mais conhecido pela alcunha de *José dos Cónegos;* eles enfim os
que tinham prendido e engaiolado no Castelo de S. João da Foz,
à ordem do povo, o Duque da Terceira. Pelo que, com legítimos
fundamentos e sem falsa modéstia, julgavam poder considerar-se
o sal da terra.

Da política propriamente dita tinham uma ideia longínqua e
nebulosa, a que a palavra *ladroagem* servia de vaga síntese.

O Passos José, na sua casa da Viela da Neta, mantinha, por
gosto de ofício, um constante fermento de rebelião democrática;
e, verdadeiro *representative-man* da burguesia nacional, de cara
rapada, grande gravata de seda preta à Directório, barrigudo, de
chapéu alto arrojado para a nuca, longa sobrecasaca aberta e voe-
jante, calças de alçapão muito curtas de pernas, transpirando sempre,
deitando as palavras abundantes em borbotões pela boca risonha
e forte, ele frequentava com assiduidade o *pasmatório dos Loios*
e do Largo da Batalha, e ia regularmente de loja em loja, batendo
no ombro aos lojistas, desabotoando-lhes e abotoando-lhes os cole-
tes, enfiando-lhes o dedo pelas botoeiras dos casacos, dando-lhes
piparotes no estômago, e informando ao ouvido de cada *patriota
exímio,* que era todo o mundo, sobre o estado da *causa,* expressão
genérica resumindo tudo o que se referia ao plano de subsequen-
tes *bernardas.*

Era pelas narrativas sibilinas, atabalhoadas, contraditórias, sempre confidenciais, desse agitador ingénuo, simpático, popularíssimo,
ainda mais do que pelas cartas do Brás Tisana no *Periódico dos
Pobres,* que o burguês portuense tinha conhecimento do *que ia por
essa Lisboa!* E, tão sistematicamente hostil às altas classes dirigentes
como às classes aritocráticas, depois de tomadas para esse efeito
as devidas precauções, averiguado que não havia baionetas de patrulha na rua nem mocas de caceteiros à esquina, trancadas as portas,
no recesso traseiro da loja, entre as barricadas dos baetões e dos
panos patentes, o burguês do Porto arrasava ali assim a sociedade
inteira, e botava abaixo tudo — metafisicamente, já se deixa ver —

por meio de gestos subversivos e contundentes, de escacha-pesse-gueiro, meneando o ponderoso côvado de pau preto chapeado de ferro, num truculento jogo de varrer, em família.

Com essa doce mania beligerante eram no fundo os homens mais ordeiros e mais pacíficos: irmãos de confrarias, mesários de irmandades, fidelíssimos às pomposas procissões da Trindade, do Carmo e de S. Francisco, fervorosos devotos do Senhor de Matosinhos e do Senhor da Pedra, e grandes festeiros de S. João. Alguns iam à missa das Almas em cada dia. Todos frequentavam regularmente os sacramentos, e visitavam aos domingos de tarde o Senhor Exposto.

Em toda a classe comercial não havia um só bigode, e nenhum negociante digno deste nome se vestia senão de preto, colete de cetim, e longa sobrecasaca, sendo o capote bandado de veludo obrigatório para ver a Deus. Os Ingleses, comerciantes de vinho, que apareciam na praça de chapéu branco e calças de xadrez, como o Forrester, o Miller, o Smith, o Stewr, o Allen, constituíam salpicos assarapantados, de uma garridice exótica e herética, sobre a grande massa ortodoxa e sombria da população grave.

Além da colónia britânica, havia a colónia *brasileira,* constituída por humildes e operosos Minhotos, que vinte ou trinta anos antes haviam partido barra fora, de carapuça encarnada na cabeça, chinelas de couro cru, jaqueta e calças de cotim, com uma chave pendente do pescoço por um cordel, pálidos, engoiados, confrangidos de incerteza e de saudado no tombadilho da galera *Castro* ou do brigue *Carolina,* entre uma pequena caixa de pinho e um estreito colchão de embarque. Desses pobres e corajosos pequenos muitos desapareciam inteiramente, não se tornava a saber deles desde que o navio, pondo ao longe um ponto cinzento na bruma cor de pérola, se esvaía de todo na húmida profundidade do horizonte; e as lágrimas choradas no Paredão das Lágrimas pelas mães que lhes acenavam o derradeiro adeus eram as últimas que a pátria lhes consagrava. Alguns regressavam ricos. Usavam dispendiosamente botinas de duraque gaspeadas de verniz, calças brancas, quinzena de alpaca, chapéu do Chile, bengala de unicórneo em punho, alfinete de brilhantes no peito anilado da camisa. Traziam consigo variadas lembranças da natureza tropical: um ou dois papagaios, latas de goiabada ou de compota de Caju, especialidade de café e de mandioca e um cheiro açucarado de abacaxi, de cânfora e de água «Florida». Os que partiam enchiam em cada viagem todos os navios de longo curso construídos no estaleiro do Ouro. Os que voltavam enchiam apenas um banco de jardim, ou dois, na Praça Nova, na Alameda das Fontainhas ou no Jardim de São Lázaro.

Os divertimentos, tirando as vigílias dos santos populares, como os três Sanjoões, da Lapa, do Bonfim e de Cedofeita, as procissões e as romagens suburbanas a Paranhos, à Ramada Alta, a Matosinhos e a São Cosme, eram raros. Havia na Rua da Fábrica a Sociedade Filarmónica dando concertos mensais durante o Inverno; havia a Assembleia Portuense na Rua do Almada com mesas de voltarete e outros jogos de vasa e de sonolência, autorizadas nos estatutos; e convidava para um baile por ano as pessoas gradas do comércio e do funcionalismo a Feitoria Inglesa.

Nas casas particulares as reuniões tinham o nome de *súcias,* e havia-as de convívio selecto e fino trato. Convidava-se modestamente para a chícara de *água morna,* mas havia sempre a magnânima surpresa de algum chá discretamente acrescentado ao líquido prometido. Fatias de pão com manteiga e doçuras variegadas cercavam, na bandeja que seguia a da água morna, o cão ou o coqueiro de prata ouriçado de palitos. Os homens pitadeavam-se com estrépito das caixas uns dos outros, e as senhoras submergiam-se no jogo do loto, até que às dez horas, tendo chegado os moços com os lampeões e com os sacos dos xailes das senhoras Simoas, das senhoras Ambrósias e das senhoras Ineses, debandava a agradável companhia. Metia-se nas espevitadeiras o derradeiro morrão das velas, e arrecadavam-se os cartões do loto, enquanto as visitas, em galochas, com dois lenços na cabeça, atabafadas até aos olhos, recolhiam lentamente, redondas de agasalhos como enormes abóboras ambulantes, batendo os lajedos das ruas desertas e sonoras com os ferrões dos guarda-chuvas.

Enquanto ao que por esse tempo se passava na sociedade de Lisboa sabia-se apenas da ladroeira dos Cabrais e das cumplicidades da Rainha, a quem o Conde de Tomar dava de jantar em pratos de ouro, arrancados ao suor do povo em geral, mas principalmente ao da cidade do Porto, sempre a primeira em tudo, até em suar para concussionários e prevaricadores!

Os homens arrojados e aventureiros que tinham vindo à capital em oito dias de jornada em caleça, ou a bordo do *Vesúvio* ou do vapor *Porto,* referiam-se nebulosamente, como se se tratasse da mais remota das lendas, aos bailes do Farrobo, às representações teatrais das Laranjeiras e às saturnais da Sociedade do Delírio presidida pelo Marquês de Nisa. Mas os do Porto, frios, austeros e azedos, suspeitavam que em todas essas folias, tendo por base a rapina, a luxúria, e a insensata basófia, havia deficiência de cordialidade, e, sobretudo, de comestíveis.

O que tirava o sono à tão apregoada bizarria dos Lúculos portuenses eram os banquetes e os bailes de arromba com que os de Vila Nova de Gaia celebravam no Tereirinho e no Domingos Ribeiro a famosa festa das Cruzes, cujo arroz doce, acrimoniosamente caluniado pelas famílias portuenses e cominado de sucessivas florescências de bolor engenhosamente encobertas pelos artifícios da canela, dera origem ao anexim hostilizante do *arroz de sete pêlos.*

Durante o Verão o folguedo predilecto das famílias abonadas eram as merendas e os jantares «pelo rio acima», a Quebrantões, ao Freixo, à Pedra Salgada, à Quinta da China.

Aos domingos, depois da missa primeira, o patrão trazia da feira do Anjo a provisão das laranjas e dos pêssegos de Amarante, um melão afiançado, e a indispensável melancia. Um cesto levava as frutas, outro cesto maior e mais abarrotado, coberto pela alvejante toalha de linho de Guimarães, levava os talheres, o alguidar de arroz do forno com o pato e o salpicão, a pescada frita, os grossos «moletes» de Valongo, e a borracha atestada de vinho maduro da Companhia do Alto Douro. Fretava-se um dos grandes barcos de Avintes, remado por mulheres, um tanto escalavrado, destingido pelas solheiras, semelhante no aspecto da madeira e do cordame a uma velha nora descida para a água de uma horta ribeirinha, cheirando a broa fresca, a cebolinho e a feno. A família toda — o marido, de calças de ganga e chapéu de sol, a mulher, os filhos, a criada com «roupinhas» minhotas, e os dois marçanos, em chinelas de bezerro compradas nas Congostas, camisa de linho caseiro, nisa de briche e chapéu braguês de copa alta e aguda — tomavam metodicamente assento na ré, sob o toldo branco, rusticamente armado em varas de pinho, como um parreiral suspenso. Os açafates com os víveres eram depostos à proa. E a alegre barcaça lá subia vagarosamente o rio sinuoso, angustiado entre duas serras, no marulho da corrente cortada, pelo pachorrento chaveco de água doce, ao som da uma barcarola em coro agudo entoado em terceiras pelas remadoras. A alface era catada e ripada e a salada feita à hora da refeição no lugar escolhido, na mesa de pedra debaixo de nogueiras, com vista para o rio, à beira do poço com a borda coroada de manjericos e de craveiros, ou, depois de uma excursão por entre sebes de marmeleiros ou ao longo de ruas de alfazema em busca de mais desusado pitoresco, entre os milhos, num córrego pedregoso aveludado de musgo, perto de um fio de água, em que se metia a refrescar a borracha.

Pela noite, os que, tendo ficado na cidade, tomavam o fresco na Alameda das Fontainhas, viam em baixo, na água túmida e glauca, polvilhada de ouro pelo reflexo das estrelas, deslizar de volta as barcas das musicatas, iluminadas, de lanternas à veneziana, lentas, misteriosas. As melodias embaladoras de Bellini e de Donizetti subiam do rio suspiradas nas rebecas, arpejadas nos violões como numa ronda aérea de sereias e de sílfides, e os ecos do Vale de Piedade e do Vale de Amores enchiam-se com as sonoridades plangentes e esmaecidas da *Casta Diva* e da *Sombra de Nino*.

Em terra firme, o meio de transporte habitual das famílias, para o Teatro de São João, para os bailes, para as romarias, era o famoso carroção, veículo de quatro rodas, da forma de um prédio, com duas fachadas laterais de cinco janelas cada uma, e porta ao fundo, a que o passageiro subia por quatro degraus de escada guarnecida de um corrimão. Uma junta de alentados bois de Barroso puxava pelo monumento. Nas duas fachadas, por baixo das janelas, lia-se, em grandes letras, alegres como bandeiras desfraldadas a toda a extensão do edifício, o nome do sumo arquitecto — MANUEL JOSÉ DE OLIVEIRA.

Livreiros havia dois na cidade, a esse tempo — o Moré, à Praça Nova, e o Cruz Coutinho, aos Caldeireiros. Mas o consumo dos livros não dava para sustentar esses dois estabelecimentos de comércio. Moré acumulava com o negócio das letras, o da perfumaria e o da quinquilharia. Cruz Coutinho vivia principalmente de editar reportórios, folhinhas e folhetos populares, como o *Carlos Magno*, o *Bertoldinho*, o *João de Calais*, *Os Três Corcovados*, e a *Bela Magalona*.

Além dos referidos livros tinham algum curso, e andavam de empréstimo pelas famílias curiosas de leitura amena, alguns dos romances de Eugène Sue, traduzidos pelo médico Reis. Lia-se também Paulo de Kock, traduzido e editado em Lisboa, bem como *Maria a Filha do Jornaleiro*, *O Testamento da Velha do Cortiço*, a *Eleição do Juiz dos Bêbados no Dia de S. Martinho*, as *Cartas de Eco a Narciso e de Heloísa e Abélard*. Num famoso estudo crítico, o austero e venerado Alexandre Herculano tinha posto as pessoas honestas de sobreaviso contra a dissolvente literatura de botequim cultivada por Balzac e por Alexandre Dumas. O poeta cego António Joaquim de Mesquita publicara, entre várias outras obras poéticas, o *Porto Invadido e Libertado* e a *Defesa das Mantilhas*.

O humanista Henrique Ernesto de Almeida Coutinho dera à estampa, além das suas odes, algumas traduções de Pope e de Byron. José Maria de Sousa Lobo traduzira em volume, *Maria Tudor,* de Vítor Hugo. Finalmente, o bem conceituado Conselheiro Rodrigues Basto dera a lume os seus *Pensamentos e Máximas* e o romance intitulado *A Virgem da Polónia.*

Fora da publicidade, coligindo livros, ocupando-se de investigações históricas, jurídicas ou literárias, citavam-se alguns eruditos — José Gomes Monteiro, Tomás Norton, o Visconde de Azevedo, Vieira Pinto.

Do fundo da espessa população comercial, abastada, rotineira, carola, consideravelmente snóbica, destacava-se, em violento contraste com ela, uma mocidade inquieta, nevrálgica, atrevidíssimamente explosiva.

No dandismo, Ricardo Brown, Payant, Almeida Campos, Henrique Maia, Barbosa e Silva, António Guedes Infante, Eduardo Chamisso, João Negrão, José Eduardo da Silva Pereira, José Passos, Eduardo Soveral, José Augusto de Carvalho, Paiva de Araújo, o que mais tarde deu o seu nome a uma *coquette* célebre no Paris do Segundo Império.

Na literatura, Arnaldo Gama, Evaristo Basto, Gonçalves Basto, António Girão, Ribeiro da Costa, Delfim Maria de Oliveira Maia, António Coelho Lousada, Alexandre Braga, Soromenho, Soares de Passos, Ricardo Guimarães, Amorim Viana, Faustino Xavier de Novais, Marcelino de Matos.

A maior parte destes rapazes tinham pegado em armas no tempo da Patuleia, já alistados nos batalhões académicos ou na Guarda Nacional, já como ajudantes-de-ordens ou ajudantes-de--campo dos generais guerrilheiros, como o Póvoas e o Mac-Donnel. Desse tirocínio guerreiro ficara-lhes o aspecto marcial, o temperamento batalhador, o estilo intrépido, o bigode arqueado. Vestiam-se em geral de um modo comum — calças à *hussard,* casaca ou sobre-casaca aboutoada até ao pescoço, grande laço na gravata à Lord

Byron ou à Antony. Como agasalho envolviam-se romanescamente no *plaid* de Walter Scott, em quadrados escoceses. Eram de rigor as esporas e o *casse-tête,* que se trazia suspenso do pulso por uma asa de couro. O de Camilo era uma formidável clava de Hércules romântico: na extremidade oposta à correia, que poderia servir de soga a um boi, agarrava-se à grossa cana da Índia um temeroso chavelho de veado, reforçado por uma argola de ferro; se o inimigo cometia a inadvertência de empolgar em defesa própria esse terrível castão destinado a acachapar-lhe o crânio, do lado da asa dava-se meia volta à pega do mortífero instrumento, um calço de mola saltava, e de dentro da cana desembainhava-se uma baioneta de dois palmos e meio, com que era atravessado pelo abdómen o adversário imprudente. Foi com esse cacete monumental que, num dos frequentes conflitos do Teatro de São João, tendo um barítono, chamado Gorin, levantado a mão para José Barbosa e Silva, Camilo lhe partiu o braço de um golpe.

Além do *casse-tête* a que me refiro traziam-se pistolas de algibeira. Espancado na Rua de Santo António, em reivindicação de um artigo de jornal contra a família Constantino, então em demanda com a família Bulhão, Camilo, já por terra, com uma larga ferida na cabeça, antes de ser levado em braços para casa do alfaiate Augusto de Morais, desfechou ao peito do agressor um tiro, de que ele escapou pela circunstância de trazer em couraça um espesso colete de peles.

As proezas desta geração de estouvados, hoje inteiramente extinta, ficaram memoráveis nos fastos da sociedade portuense.

Quando o Marquês de Nisa foi ao Porto, em viagem sentimental com uma cantora de S. Carlos, alguns janotas portuenses, depois de uma récita no Teatro de São João, partiram a cavalo com os seus hóspedes, tomaram de assalto o Castelo do Queijo, ocupado por um destacamento de veteranos, meteram num calabouço a guarnição, com sentinelas à vista, condenada a *foie gras* e a champanhe, e passaram um dia de festa na fortaleza conquistada.

Uma outra cavalgada nocturna dispersou a chicote uma força de Guarda Municipal, reunida no Largo da Trindade, na ocasião de se distribuir o segundo turno de patrulhas incumbidas de guardar a cidade.

Na famosa campanha teatral, sustentada durante uma estação lírica pelos partidários da Bolloni e da Dabedeille, ferveram abundantissimamente através de ovações e de pateadas consecutivas, as provocações recíprocas das «dilettanti», as mocadas, os bofetões e os duelos. Numa ceia oferecida à Dabedeille no restaurante clássico da Ponta da Pedra, Camilo, ao levantar um brinde cavalheiresco à Bolloni vencida, teve a palavra cortada, bem como a testa, por um copo que lhe arremessara um «dabedeillista» intransigente, infrene e embriagado.

De uma vez, tendo a autoridade proibido que se entrasse com bengala na plateia do Teatro de São João, viu-se, no intervalo do primeiro ao segundo acto, surgirem na sala e agitarem-se brandidos no espaço inúmeros cabos de vassoura trazidos a ocultas do café e da hospedaria da Águia de Ouro. Esses instrumentos contundentes, destinados a ficar no campo da peleja apreendidos pelos representantes da autoridade e da força pública, eram ornados de divisas explicativas do fim a que se destinavam. O pau de vassoura de um dos meus amigos tinha, inscrita à pena, esta legenda: «Desencabaste-me com gana, encaba-me com galhardia.» António Girão, tendo arrancado do soalho uma trave, ameaçara o Administrador do bairro, que presidia ao espectáculo, de deitar abaixo o lustre se a polícia ou a força armada ousasse invadir a plateia. A seguir a essa récita, como frequentemente acontecia, teve de ficar o teatro fechado por três dias para o fim de se proceder a obras de ensamblador e de carpinteiro.

O folhetim nascente, novo género literário, cultivado por Evaristo Basto, Lousada, Arnaldo Gama, Ricardo Guimarães e Camilo, assumiu então uma incomparável força de hostilidade satírica e picaresca. Sendo rejeitado como candidato a sócio da Assembleia

Portuense, vulgarmente conhecida pela *Sociedade da Erva*, Camilo consagrou a esse acontecimento, nas colunas do *Nacional,* uma crónica célebre, da qual se contava ter resultado que um dos directores da *Erva* acamou com um extravazamento de bílis, e dois morreram dentro de uma semana fulminados pela congestão.

As controvérsias jornalísticas degeneravam amiudadamente em vias de facto. O jornalista Novais Vieira, o *Novais dos Oculos* ou *Novais da «Pátria»*, como variavelmente lhe chamavam, publicou um artigo de maledicência, em que três homens — Camilo, Faustino Xavier de Novais e um outro cujo nome me esquece — viram alusões pessoais, que resolveram punir. No dia dessa publicação malfadada, Faustino, chegando ao Teatro de São João, onde o redactor da *Pátria* ia todas as noites, encontrou no pátio de entrada Camilo, rebuçado no *plaid,* com o *casse-tête* bambolando pendente da soga.

— Quem lhe dá aqui sou eu, que cheguei primeiro — disse Camilo.

Faustino subiu à primeira ordem, onde Novais Vieira assistia de um camarote ao espectáculo. À porta desse camarote, sobraçando uma longa chibata de picaria, passeava o anónimo a que acima aludi. Este personagem dirigiu-se atenciosamente a Faustino Xavier de Novais:

— Se V. Ex.ª vem também para espancar o sr. Novais Vieira, rogo-lhe o obséquio de esperar de preferência lá em baixo...

— Lá em baixo está-o esperando já, com lugar tomado, o sr. Camilo Castelo Branco.

— Nesse caso suplicar-lhe-ei que me faça a fineza de ir para esse primeiro patamar. Eu encaminharei para lá os passos do sr. Novais Vieira, para cujo primeiro encontro sou eu que tenho a vez. Há dez minutos que aqui estou. Assim, bem vê...

O drama de expiação, em que o pobre Novais da *Pátria* estava destinado a figurar nessa noite infausta, foi pungente mas breve. Dentro de poucos minutos, o desventurado saía do cama-

rote em que se achava, era rapidamente estreado com duas chibata-
das, galgava como um gamo o primeiro lanço de escada; daí, recha-
çado a soco, vinha de um só pulo cair sob o *casse-tête* de Camilo,
no esteirão do fundo, e era consecutivamente levado em braços
à botica próxima, com uma brecha na cabeça e duas costelas partidas.

Para todos estes homens, moços, aparentemente fortes, aparentemente despreocupados, violentos, desabridos, uma só coisa grave,
irredutível, sagrada parecia existir na vida. Era o amor. De tudo
mais zombavam. Havia um desprezo convicto e geral pela fortuna,
pelo dinheiro, pela consideração social, pelo próprio trabalho, e até
pela saúde. A mulher, porém, a mulher sensível, a mulher amante
e amada, a simples mulher romanesca, era um ídolo para cada
imaginação, tinha em cada coração um culto — culto pasmosa-
mente ingénuo e cândido, resistindo a todas as provações do ridículo: ao namoro de rua pela hora portuense do *despregar da agulha,*
ao namoro da igreja durante a Semana Santa ou na missa da
1 hora aos domingos, à carta clandestina com erros de orto-
grafia, à recitação ao piano, ao anel de cabelo, ao bordado a
missanga!

Uma espécie de vaga alucinação erótica parecia andar no ar
espesso do mercantilismo local, não dando às naturezas delicadas
senão uma visão radiante da vida — a visão lírica; como se o destino próprio de cada homem superior fosse atravessar a existência
concentrado e pálido, indiferente à sorte da estúpida comunidade
humana, recluso numa paixão de profundidades incompreendidas e
trágicas, indo por uma vereda solitária banhada de magnético luar,
num planeta de fantasia, a que dois entes se transportam para lentamente irem morrendo longe da terra desprezível, envenenados pela
febre dum infindável beijo, num tépido aroma de cabelos soltos.

Alguns levavam a exagerada preocupação da sua altiva personalidade até o extremo de fazerem ao público, em prosa ou em verso,
a revelação do seu caso psicológico, como se o século estivesse à

espera de que esses bons rapazes contassem o que sentiam para que o universo começasse a amar.

Noutros, que não escreviam, o sentimento, por ser menos comunicativo, não era menos intenso nem menos dominador.

A... (compreende-se facilmente a razão por que vou substituir os nomes próprios por simples iniciais), A..., tendo militado em Espanha com a Divisão portuguesa, tendo feito como oficial do exército francês uma das campanhas do Segundo Império, rico, elegante, belo, ilustre, saciado de todos os prazeres, desenganado de todas as glórias, descrido de todas as ilusões com que se pode iluminar uma existência de mundano, fazia periodicamente uma peregrinação de nove léguas a pé para ir a uma montanha da província do Douro ver uma rapariga do campo, que tinha os olhos verdes e uma longa trança de cabelos loiros. As paredes do quarto em que pernoitava por ocasião dessas romagens encheram-se de versos consagrados à que denominava «A deusa dos olhos garços». A... morreu no Porto, prostrado pelo abuso do álcool, em que tentava afogar o seu longo e pesado tédio, num quarto de dormir armado em barraca de campanha, tendo por decoração duas múmias trazidas por ele do Egipto, e uma jaula em que se debatia e uivava um leão.

B... percorria ao galope de um cavalo dez léguas por noite, sob as chuvas e sob as geadas do mais rigoroso Inverno, para o fim de ir conversar com uma senhora, por espaço de meia hora, da estrada para uma janela, em uma quinta perto de Guimarães. Numa destas sortidas misteriosas contraiu uma congestão pulmonar, de que morreu subitamente.

C..., tendo enviuvado poucos meses depois de casado, convencido de haver horrivelmente caluniado por uma suspeita infundada a sua jovem esposa, cuja misteriosa virgindade se demonstrou pela autópsia, desapareceu do Porto, ocultou-se num obscuro hotel de Lisboa, e, alimentando-se exclusivamente a *cognac,* morreu em poucos dias. Dentro de uma mala que o acompanhava encontrou-se unicamente um vestido de noivado e uma coroa de flores de laranjeira.

Como não teria sido talvez difícil de prognosticar, quase todos os evidentes da geração e da convivência íntima de Camilo Castelo Branco, a cujos nomes me referi, faleceram de enfermidades sintomáticas de degenerescência. Arnaldo Gama, Coelho Lousada, Soares de Passos, assim como Júlio Dinis e Guilherme Braga, morreram tísicos. Quatro morreram de lesões cardíacas; dois de *delirium tremens;* dois de demência; um pelo suicídio.

A obra artística de Camilo Castelo Branco é, sobre o espírito de um sensitivo, o puro e fiel reflexo da sociedade que tentei descrever.

Essa obra é essencialmente provincial, delimitadamente portuense, fundamentalmente lírica.

Os costumes burgueses, considerados sem a atenção enternecida que leva às pacientes e delicadas pinturas de género, transparecem na caricatura violenta do «brasileiro» grotesco, do negociante pé-de-boi, do fidalgo analfabeto, do pai caturra, do marido predestinado e lorpa, da velha tia beata e pançuda, da freira bisbilhoteira em tratamento de hidroterapia benta para a devoção e para o flato.

A influência da política e a da administração pública, tão considerável na vida portuguesa, é invisível e imponderável no seu processo de inquérito e de análise.

Os seus quadros de interior são premeditadamente expostos com um cenário de farsa.

Os caracteres, nos seus livros, são delineados de um modo intencionalmente contraditório, com efeitos imprevistos, claramente destinados a *épater le philistin,* a contradizer a acanhada lógica do burguês, a estontear o lojista, a contundir com inesperados pontapés as partes moles da psicologia da Calçada dos Clérigos e da Ferraria de Baixo. Aqui está um tolo, que será tolo estreme durante cem ou duzentas páginas, até que o leitor reles chegue a convencer-se de que é mais esperto do que ele. A esse momento, porém, a figura dará uma reviravolta repentina, para que o leitor aprenda que nos domínios da arte, o tolo, tal como o concebe um homem de espírito, nunca é tão tolo como o tolo real na humanidade inferior.

Idêntico processo com os personagens encarregados de dar a mais alta medida da virtude, da dignidade, da honra. Desde que o burguês julgue, em sua desbragada ousadia, que compreende esse elevado tipo, e passe a venerá-lo, o autor, arregaçando as mangas para evidenciar que não há subterfúgio algum de empalmação ou de passe-passe, dará uma palmada na moleira do seu personagem e far-lhe-á sair pelo nariz uma peça de fita ou um ovo fresco.

Porque é preciso que a ralé literária acabe de se convencer de que, unicamente pela circunstância de saber ler e de ter comprado as nossas obras, ela não é nem mais nem menos desprezível do que era antes.

Quem está na piolhice do negócio — quer seja descontando letras como na Rua dos Ingleses, quer seja vendendo arrecadas às lavradeiras incautas como na Rua das Flores, quer seja medindo ao côbado panos abretanhados como na Calçada dos Clérigos, pesando quintais de bacalhau como em Cima de Muro, enfardando linho e emolhando ferro como nas Hortas, embarrilando vinho como em Vila Nova, ou ensacando farinha como na Feira do Pão — em coisas de arte não pensa, não compara, não raciocina. Nem sequer se lhe dá licença de que se comova! Para as altas coisas do espírito e do coração, cá está a humanidade superior, de que o literato é a sublimação mais requintada, mais pura, mais alta, mais inviolavelmente sagrada.

Tal era há quarenta anos, entre a mocidade culta da cidade do Porto, a compreensão geral da missão das letras sobre a repelente côdea do orbe.

No decurso da acção (*de um romance de Camilo*) o leitor assistirá ao rapto do mosteiro pelo alto muro da cerca, e à emboscada, num souto, com os homens ocultos pelas carvalheiras, no fundo de uma azinhaga por trás de uma quinta, ou num encruzamento de caminhos de serra, perto de um cruzeiro ou de uma caixa das almas. Ouvirá o tropear dos cavalos que se aproximam ao meio trote, equipados para a aventura, de rabos atados, pistolas nos coldres, bacamarte no arção, orelha fita, ventas palpitantes e rompões novos. Verá reluzir as choupas na ponta dos varapaus. Escutará as vozes rápidas e imperativas de prevenção ou de ataque, o estalir das fecharias que se engatilham, o cascalhar das pederneiras nas caçoletas das clavinas, o estampido dos tiros, e o despejar dos cavalos a toda a brida desfazendo a estrada às unhadas, desferindo fogo dos sílex desengastados do macadame.

Essa leitura será ainda para o leitor moderno uma viagem retrospectiva com aparições estranhamente pitorescas através das nossas províncias do Norte. O solar do antigo fidalgo, com o portão de ferro escancelado, e carcomido, o palácio ao fundo do pátio solitário e cavo, aflorando ortigas e malvas pelos rasgões do lajedo, entre as cavalariças e as cocheiras escancaradas e desertas. A mobília da sala-de-fora, ao alto da escadaria exterior, constante de uma arca, um banco de carvalho tendo pintado no encosto o brasão da família, um retrato a óleo pendente do muro, e uma braçada de marmeleiros, e de varapaus argolados, a um canto. O convento de freiras, de janelinhas gradeadas com rótulas escuras nas paredes brancas, ainda habitado, disciplinado e regido conforme o estatuto primitivo, com a sineta por cima da portaria tocando ao coro, o *outeiro* no pátio pelas festas da eleição da prelada, a visita à grade com o chá servido pela roda, e a serenata de violões passando a desoras, em noites de luar, à volta do edifício cerrado, silencioso e aparentemente adormecido. A liteira cabeceante entre os dois machos, ao compasso tilintado pelas guiseiras, com um arreeiro à camba de cada freio, subindo e descendo os córregos precipitosos das serras beiroas. A antiga estrada minhota, trilhada pela mala--posta de Braga, alvejando sinuosamente pelo meio dos pinhais, das bouças e dos campos de milho, alegrada por um repique de martelos, debaixo dos alpendres dos ferradores, no banco de pinchar, e ao longo de todo o caminho nas bigornas dos ferreiros, que anoiteciam e amanheciam a cantar e a malhar os pregos, nas forjas esfumaçadas, entre pomares de macieiras, com manjericos nos postigos e rama à porta. Pontilhões de madeira sobre os rios estreitos e pedregosos, onde se entocam as trutas ou giram lentamente, denegridas e musgosas, as rodas das azenhas. Podengos descobrindo os dentes brancos e agudos por baixo dos portões das quintas caiadas de amarelo, ou ladrando em cima do muro dos quinteiros, de orelha alta e cauda em báculo. Carros de recovagem, récuas de mulas e almocreves poeirentos, deixando passar a calma do sol a pino no fundo sombrio e hospitaleiro dos grandes estábulos, ou nas abegoarias umbrosas, onde se espreguiçam os gatos, e galinhas soltas debicam o solo fofo de tojo e de urze.

Algumas destas coisas, nos romances de Camilo, são realmente vistas, de revoada, como as pombas que atravessam o espaço, de uma eira para um campanário. Outras são pressentidas apenas no decorrer das páginas. E a narrativa termina pela apoteose de um herói ou pela glorificação de uma mártir, em cujo altar o poeta deixa suspensos pelas orelhas, estripados, vazios, abertos de cima a baixo, como chibos mortos, esfolados, amanhados, bamboleantes ao ar com um caniço no ventre, os grotescos que deliberou imolar.

Não é um analista, um observador, um crítico, e pode-se dizer que para o seu espírito, rebelde à pintura e à música, quase não existem as formas, as cores e os ruídos do mundo exterior. É um psicólogo especialista de histerias eróticas, e é, sobretudo e muito acima de tudo, o mais «romanesco» de todos os românticos, isto é, aquele que, por um certo pendor de imaginação, por um pessoal dom de espírito, entre seres de selecção aristocrática pelo talento, pela coragem, pela força, ou por um simples desdém altivo de casta privilegiada, mais especialmente e mais restritamente se compraz em fazer viver a poesia das paixões fulminadoras, dos sacrifícios ilimitados, dos desesperos eternos, das perfeições absolutas.

Não é, porém, aos Franceses da mesma índole poética e dos quais Feuillet é o chefe, que teremos de compará-lo para estabelecer a genealogia da sua estética. O romanesco de Camilo Castelo Branco é — transportado às condições de vida contemporânea — o romanesco dos Espanhóis do século XVII. Procede inicialmente da dinastia dos *Amadises* e dos *Palmeirins,* e participa do génio peninsular de toda a literatura poética subsequente: do lirismo contemplativo de Santa Teresa, do misticismo dramático de Calderón e de Lope de Vega, da sátira picaresca de Cervantes, de Hurtado de Mendoza e de Quevedo.

Desta filiação poética, das intimidades da sua vida provincial nas regiões do País em que mais puramente se conserva a vernaculidade da língua, dos modos de dizer do nosso povo, da elementariedade da sua psicologia, dos seus métodos pouco insistentes de observação e de análise, resulta a natureza do seu estilo.

A febril inquietação do pensamento moderno leva os nossos escritores de decadência à prosa mais premeditadamente irregular, mais conscienciosamente incorrecta. São as inevitáveis acumulações de neologismos, de barbarismos, de construções espúrias, desconjuntando a gramática, atropelando as velhas regras da majestade e da serenidade clássica, arrostando temerariamente com os galicismos, com as rimas, com os hiatos, com as cacofonias, com as assonâncias, com as ambiguidades de toda a espécie, num descaso absoluto da retórica elementar e de todos os seus preceitos de pureza, de eufonia, de cadência e até de sintaxe. São as expressões extravagantes à força de quererem ser concisas, ou pitorescas, ou iluminantes. São as insistências da sinonímia, e as redundâncias de imagens e de perífrases, em que a palavra, tripudiando no mesmo ponto, parece marrar para a direita e para a esquerda contra um obstáculo invisível — a impotência da língua antiquada para a figuração viva de sentimentos novos e inéditos.

Camilo pertence ainda ao período das responsabilidades clássicas. O seu vocabulário é talvez o mais copioso que existe em escrita portuguesa. Os seus giros de locução, as suas cadências de frase, as suas formas sintáxicas, o equilíbrio e o ritmo da sua prosa têm a fluência, a harmonia e a limpidez literária das obras magistrais. A sua língua, como a de Castilho e a de Latino Coelho, é um desenvolvimento da língua de Vieira e de Bernardes. Ele é o derradeiro dos filintistas, e, pelo lado técnico, a sua obra literária ficará como último protesto contra a progressiva decadência e próxima dissolução da pureza académica do nosso idioma.

Pelo conjunto total das exuberâncias e das deficiências da sua natureza de escritor, pelas suas qualidades e pelos seus defeitos, pelo seu temperamento, pela sua educação, pela sua obra, que é a imagem da sua vida, o nome de Camilo Castelo Branco representará para sempre na história da literatura pátria o mais vivo, o mais característico, o mais glorioso documento da actividade artística peculiar da nossa raça, porque ele é, sem dúvida alguma, entre todos os escritores do nosso século, o mais genuinamente peninsular, o mais tipicamente português.

R A U L   B R A N D Ã O

(1867-1930)

Raul Brandão é dos maiores prosadores estreados no fim do século XIX e um dos temperamentos mais originais que se exprimiram na nossa língua. Herdeiro do estilo transparente de Eça de Queirós e criado na sua luminosa ironia, excedeu-o no sentido grave da vida e na agudeza psicológica que explora o subconsciente. A sua incapacidade novelística impediu-o de dar a solidez dos esquemas do romance, da novela e do conto ao vasto material de observação humana que acumulou nos seus livros confidenciados e caóticos. Capaz de conceber o drama de vidas aglomeradas num burgo, como em Húmus, não o estrutura nem faz contracenar por personagens, que afinal se agitam como espectros. Mas a insignificância, o grotesco, o sonho, a fatalidade apoderam-se dos seus entes de ficção e animam-os. O Prédio, o Quartel, o Hospital são personificações tétricas, pontos de saturação do mistério da vida encarnada nos homens que ali se movem e parecem expiar um crime apagado da memória.

Raul Brandão aprofunda o quotidiano para tirar da sua própria mesquinhez e monotonia uma dimensão de grandeza. «O respeitável Elias de Melo», homem de leis; os padres da Vila do Húmus; as devotas e solteironas; Joana, a mulher da esfrega; o Gebo, cobrador; a Candidinha: são seres falhados — «os pobres» —, comparsas da comédia humana, sustentáculos inconscientes de uma ordem que os esmaga. A inocência deles vive paredes-meias com a hipocrisia e a rotina; o sonho a par da insignificância; a grandeza vizinha do reles.

Os personagens de Raul Brandão, embora às vezes magistralmente dados em dois traços como tipos, não se individuam, não se fixam numa intriga doseada e bem distribuída, conservando-se cada um nos limites de um certo papel e desenvolvendo progressivamente as suas peripécias pessoais. São projectados pelo autor como símbolos conclusos, expoentes de uma adversidade fatal e implacável que pesa sobre eles, mais como atmosfera do que como causa gradual de fracassos

e desencontros. Na Farsa, no Húmus, n'Os Pobres *(prefácio de Guerra Junqueiro),
um ambiente lôbrego e fosco,* de Divina Comédia *sem círculos, envolve e arrasta
personagens que muitas vezes parecem criados por desdobramento uns dos outros,
sem que percam a singularidade da conduta, o tipicismo de que o autor os dotou.*

*A falta de estrutura novelística nos livros de Brandão é tanto mais lamentá-
vel quando o escritor maneja um diálogo justo e essencial e surpreende genial-
mente as inflexões do destino que guia cada ser de ficção. Ninguém melhor que
Brandão, na literatura portuguesa, tira de uma paisagem as notas da sua significação profunda como cenário de homens. É preciso o seu instinto de selecção
dos elementos da natureza — relevo, cobertura, cor, aspecto. Livros como* Os
Pescadores *e* As Ilhas Desconhecidas *constituem cadernos de viagem e documen-
tários do* habitat *português, em que as notas objectivas, os pormenores de informação, o estilo de vida das populações especializadas no trabalho tornam positivo
e convincente o fresco poético e dramático que se sente ser a preocupação domi-
nante no escritor. A própria deformação da realidade, com vista ao efeito intenso
a obter, acaba por converter o leitor e alicià-lo, pois Raul Brandão não esconde
o ritmo de exagero e de exaltação que está na base do seu processo.*

*A História é outro campo de trabalho preferido por Raul Brandão, sobre-
tudo as épocas de revolução e de crise — Invasões Francesas, Liberalismo, República —, em que a intriga domina o cenário político e em que a ordem social
subvertida permite que as paixões venham à-de-cima e que a comparsaria histórica irrompa pelo palco reservado aos grandes personagens. Memórias, cartas,
papéis íntimos, o recheio das casas, a papelada burocrática e as ordens regimentais,
de tudo Brandão extrai um pormenor significativo, uma bagatela que tiraniza os
homens nas suas manias e ingenuidades e as faz triunfar sobre os interesses gerais
e a própria razão de Estado.*

*El-Rei Junot é uma espécie de 1812 em prosa, sinfonia triunfal em ritmos de
paródia: as divisões desmanteladas mas ainda impetuosas de Junot atravessando
a península, o sonho de Napoleão caldeando-se com o pânico e o grotesco de uma
população perturbada no seu longo sono histórico. A marcha das tropas, as* étapes
*nos descampados, a fuga da populaça desamparada e infeliz, tudo é dado numa
atmosfera de pólvora e de pó, em que o humano triunfa pelo sonho e pela dor da
«farsa» trágica. A pintura da corte de Queluz e da Lisboa, dos desembargadores
e dos frades, embora feita de elementos heterogéneos e violentados pela preocupação do pitoresco e do patético, é larga e impressiva. E a seriedade da fibra
nacional ferida resulta mais nítida dos lances anárquicos do conflito.*

A Conspiração de Gomes Freire *dá o lado íntimo, biografativo, da transição do velho regime para o novo. Gomes Freire é desenhado como aventureiro,
patriota, letrado e amoroso. A sombra de Matilde de Melo («felizmente há luar»)*

suaviza o calvário do general napoleónico, mação e conspirador, que paga na forca o seu desprendimento e as suas leviandades.

No prefácio das *Memórias do Coronel Owen (*O Cerco do Porto*) e nas suas próprias* Memórias *(3 vols.), Raul Brandão fecha este seu ciclo de* petite histoire, *espécie de diário de um povo que toma consciência dos tempos modernos através da dissolução e da reforma da sua intimidade histórica. As* Memórias *de Brandão correspondem ao fim da Monarquia e aos primeiros anos da República, e devem ser lidas com a prevenção de quem vai ouvir o testemunho suspeito mas psicologicamente precioso de um espectador interessado apenas pelo lado mórbido do drama. A verdade que delas sai é psicológica, atmosférica — não é histórica. Os prefácios que Brandão escreve para elas reconciliam-no, pelo seu ar de mensagem ou de visão do mundo, com a pureza e seriedade da alma e do povo português.*

O poderoso escritor que dá esta visão deformada e poética do seu país, explorando-a na alma, na terra e na história, é um artista puro, uma sensibilidade mórbida e livre, mas inestimável, apesar da falta de controle racional e de equilíbrio culto, para a revelação do nosso recesso mais fundo. Natural da Foz do Douro, de uma família de capitães de navio, dotado de um temperamento caprichoso sob a calma aparente de um físico gigantesco, Raul Brandão parecia um homem do Norte perdido nas fraquezas e excessos do português médio. Oficial do Exército pelos acasos do recrutamento, a vida de guarnição a que este sonhador se violentou acentuou os contrastes da sua visão do mundo e o sentimento de que a vida profunda dos homens está prisioneira de ritos e convenções absurdas. É esta radical ingenuidade, trazida ao balanço da existência, que dá à obra de Raul Brandão, desde as suas tentativas de teatro (O Doido e a Morte, O Gebo e a Sombra, O Avejão) aos seus frisos de prosa, mista de quadro histórico e de nebulose romanesca, de filosofia e de caderno de viagem, o carácter de painel fantasmagórico de uma humanidade acantonada à beira-mar do ocidente europeu para viver uma aventura étnica que às vezes toca as raias do sonho e da alucinação. O seu sentido religioso da vida é impressionante, as antenas com que capta o trivial são poderosas. E quando, liberto da obsessão dos seus fantasmas, Raul Brandão pega na sua maleta de repórter e percorre as ilhas atlânticas (As Ilhas Desconhecidas) ou os portinhos de pesca da metrópole (Os Pescadores), as suas notas de paisagem e os seus quadros de costumes atingem uma flagrância e uma qualidade de visão prodigiosas,

[O LITORAL]

O HOMEM

PARA aquém de Mira pesca-se sempre da mesma maneira e com idênticos aparelhos, na Tocha, na Costinha, em Quiaios e em Buarcos, onde há uma rede curiosa para o robalo e sargo — a majoeira, que flutua na crista da vaga; — pesca-se na Figueira, em Pedrógão e em muitas terrinhas perdidas pela beira-mar, como no areal perto da linda Coimbrã, que me me deixou preso ao seu pacífico encanto e às suas casinhas térreas alpendradas. É uma terra de mulheres. São elas que a habitam e que cultivam a areia movediça, enquanto os homens, todos serradores, trabalham em Lisboa no ofício. Mas a Nazaré é a terra mais importante de pescadores nesta parte da costa portuguesa.

Do Valado à Nazaré são seis quilómetros, quase sempre através do monótono pinheiral de El-Rei. É um majestoso templo que não acaba e onde a solidão se torna palpável entre os troncos cerrados e sob as copas espessas. Por fim o caminho desce, passando a Pederneira, e avista-se lá em baixo a branca Nazaré e o mar apertado num vasto semi-círculo de montes verdes, que mergulham no azul os alicerces. Ao norte o panorama acaba de repente num paredão temeroso, que entra direito pelas águas e entaipa o céu. É um morro avermelhado e riscado, com vegetação pegajosa de urzes e de cardos e um penedo destacado na ponta — o bico do Guilhim. Lá em cima as paredes brancas duma aldeia árabe entre sebes de cactos hostis — o Sítio. Pedaços de rochas salientes ameaçam desabar a toda a hora ...

Ao pôr-do-sol, e com a névoa da baixa-mar, que é o hálito puro das águas, este paredão compacto não direi que oscila — seria um exagero — mas empalidece e desmaia, desfeito em pó cinzento e dourado ... Desço à praia — ao fio de areia enconchado, cheio de mulheres que carregam peixe ou que o despejam ainda vivo nas grandes xalavares, por entre barcos agrupados. Três juntas de bois correm sem cessar de batel para batel que abica, entrando na água e puxando-os para cima. Mais longe as netas arrastam sacos de carapau e de sardinha, e no mar, que tremeluz em escamas sobrepostas, balouçam-se junto ao morro, à tona de água, as grandes bóias das armações à valenciana que os pescadores levantam de manhã e ao pôr-do-sol. Esparsos, mais barcos, chatas e lanchas de galeões, alguns com lindos nomes, *Formosa Ana, Luz do Sol, Senhora da Memória, Mar da Vida*. Até lá ao fundo pelo areal, todo o dia e toda a noite se arrastam artes. Abicam os batéis das caçadas, que levam oito, nove, dez espinhéis por cada homem, e este movimento aumenta pelo dia fora. Na capitania estão matriculados trinta batelinhos para a pesca da lagosta com cabos, quarenta chatas com redes de caranguejo, quarenta e cinco aparelhos de arrasto, doze cercos, que só trabalham no Verão, porque muita desta gente vai de Inverno à pesca do bacalhau, seis armações valencianas, duas redondas e três traineiras a remo. É um extermínio. Há ocasiões em que dia e noite se grita, leiloa e salga. Em números redondos, a pesca rendeu o ano passado dois mil contos de réis. Se há peixe, a labuta aumenta e trabalha-se até de madrugada. Só uma noite destas o chicharro deu cinquenta contos. Está tudo preparado para a matança. Homens de vigia no mar, em pequenos barcos, quando pressentem o cardume, dão sinal a outros, postados no sítio, para que acudam os cercos.

Vejo-os conduzindo as redes do arraial ou das cabanas para o barco; remendando-as ou secando-as estendidas no chão ou sobre as recoveiras. Vejo-os carregando dois a dois, num pau atravessado de ombro para ombro, os lavadeiros, gigo que leva cabaz e meio, fortes, denegridos, vestidos de escuro, camisola de lã e calça segura pela faixa preta enrolada seis vezes à volta da cinta, e na cabeça o barrete de caparinha com uma borla feita de duas ou três meadas de lã: — o Joaquim Chita, o Carlos Petinga, o Cara-Má, o Manuel Panelão, o Joaquim da Poupada, o Ernesto Caneco, o Rebola, o Val Nove, o Vila Mona, o Bexigas, o Mixórdias, o Chicharro, o Ganso, o Esgaio, o Peixe-Posta, o Beca, o Veca e o Meca, o Pirão, o António Petinga, o Pescadinha, o Sá--Pau, o António Rato Azeitona e outros. Ingénuos e supersticiosos. Um crime é raro. Não há polícia: — Nós guardemos respeito uns aos outros. — Têm um medo às bruxas, que se pelam. Quando a Leonor com a fralda da camisa azanga o barco, já se sabe, não há peixe: correm então à Marinha consultar outra bruxa, ou trazem o padre à noite para lhes benzer o barco e as redes à luz de archotes.

Vai longe o tempo em que a mulher ia casar de capa, lenço de seda e um casaco chamado roupinha, e ele ao lado de calção, meia de seda e chapéu alto. Estão pobres. Bebem tudo quanto ganham e deitam-se na areia. Se o primeiro lanço da neta não dá peixe, desanimam logo. — Não há sardinha ... — Se uma companha deixa ficar a rede no mar horas, não se ralam. — Vocês hoje não pescam? — Guardemo-lhes respeito. — Houve neta que para fazer um lanço aguardava sete dias e os outros esperavam todos a vez. As mulheres só levantavam cabeça depois de eles morrerem. Aqui há anos num naufrágio perderam-se no mar alguns pescadores da Nazaré. Fez-se uma subscrição que deu para as viúvas viverem algum tempo. E as outras com inveja lá diziam:

— Foi pena o meu não ter morrido também ...

Os barcos das caçadas largam de noite com uma pequena tripulação para o mar de cana do noroeste, que dá o goraz, para o da cana rica, que dá a pescada e o goraz, para o dos algarvios, que dá safio e cherne, e para o do lageto, que dá peixe espada. Os homens vão em ceroulas e levam o tabaco, os lumes e a navalha no barrete, que lhes serve de algibeira. Exclamam ao entrar na maresia: — Louvado seja o Santíssimo Sacramento! — Nos batéis mais pequenos cada homem leva oito, nove, dez espinhéis; e nos maiores, com dezanove homens de companha, o arrais, quinze camaradas e três moços, cada um pesca com sete linhas de aparelho, lançadas em círculo por uma lanchinha que vai no batel. O barco é quase sempre de um pescador e de dois ou mais sócios, e o produto da venda distribuído em tantos quinhões quantos os tripulantes. Os espinhéis ganham dois quinhões e o barco outros dois.

Este que entrou agora, e cujos homens me rodeiam, vem alastrado de raias, de cações e de gorazes. Pescadas poucas e um anequim acinzentado com uma grande barbatana no dorso. O mar da Nazaré, muito rico, dá cherne, pargo, moreia, tamboril, abrótea, peixe-rei, peixe-anjo, serrajão, cachucho, chaputa, orega, toninhas, sardas, corvinas, peixe-agulha, peixe-galo, lagosta, lavagantes, santolas, e nas pedras perceves, mexilhões e lapas. Mas os pescadores queixam-se:

— Isto dá para viver mal ...

Fito-os. É o mesmo tipo que conheço de Aveiro, de Caparica e de Sesimbra. O patrão Joaquim Lobo, de grandes barbas brancas, afirma que esta gente veio de Ílhavo. Alguns lembram-se de ouvir a mesma coisa aos velhos, e teimam: — Somos de Ílhavo ... Viemos de Ílhavo ... — Também tenho a ideia de que foram os cagaréus que povoaram os melhores e mais piscosos pontos da costa. Ontem como hoje, vinham par aí abaixo, aos dois e três barquinhos juntos, até ao Algarve. Aparecia-lhes toda a costa incógnita, os penedos nascidos no meio do mar, os fios de areia reluzindo e as baías entranhadas nos paredões. À aventura iam ter às águas do peixe. E eu sinto como eles a primeira impressão dum panorama nunca visto e duma frescura que ninguém respirou. Descobriram o sítio a que a sardinha se encosta, os fundões que dão a pescada e o cherne, e os melhores abrigos para refúgio no mau tempo. Sabiam a costa a palmos. Voltavam um dia com a mulher, os filhos, a rede e a panela da caldeirada. Fixavam-se no areal, construíam os palheiros, cobrindo-os com rama, e fundavam uma nova povoação.

O peixe era tanto como ao princípio do mundo. Aí estou outra vez a ver e sentir a frescura matutina, o princípio do dia desfeito em poeira azul, a sardinha faiscando na água, o panorama novo e o mundo inexplorado ...

A CHATA E A NETA

Vou pela praia fora ... A chata, com a proa em bico e a popa cortada, só meio barco — a chata barriguda e forte, de grossos tabuões, deve ser a embarcação primitiva desta terra, como o aparelho de arrasto a que chamam neta é um engenho muito velho e que veio de mão em mão, empregado por gerações atrás de gerações, já desaparecidas, de pescadores. A primeira coisa que acode ao homem esfaimado que vê o peixe em cardumes formidáveis reluzir e saltar ao lume de água, é atirar-lhe um grande saco e puxá-lo para a terra por duas cordas atadas às pontas ... A neta tem um saco, duas mangas e duas cordas. Dividem-na aqui em três peças — saco, boca e mãos; a boca com quatro muros, o saco com cinco, que vão alargando de malho até à boca, e as mãos com a arcanela, o cassarete, o regalo e o pano delgado. Às cortiças chamam-lhe panas, às chumbeiras rebiças, e à costura por onde se abre o saco, linhol.

Andam sete na praia na faina do arrasto, e hoje vai dar peixe com certeza, porque, quando a água está agitada sobre os parcéis e se põe negra, há chicharro e sardinha em abundância. Cordões humanos puxam às cordas: deitam-nas às costas sobre os ombros, e de esguelha, com o braço esquerdo estendido e a mão direita agarrada à corda junto ao pescoço, vão alando devagar o saco. Já se vêem os odres de pé no mar. Acode então mais gente — rapazes, mulheres, homens de calça arregaçada, para ganharem um quinhão.

— Arriba! Arriba!
— Venha arriba, com o Corpo de Deus!
— Venha arriba, rapaziada!

Os odres aproximam-se e os cordões para apertar a rede, alando-a lentamente, caídos para a frente e enterrando-se na areia.

Anda aqui um velho com a cara enrugada e a boca entreaberta. A vida encheu-o de dedadas de um relevo extraordinário — amargura, resignação, dor e humildade: é um tipo este homem que não pode e há-de ir até ao fim curvado e exausto. Anda aqui rapaz que mal chega à corda, e uma mulher com os braços estendidos e o filho ao colo, seguro pelo xaile traçado sobre o peito. E o pequeno de mama já sente na carne da mãe o esforço e a rudeza da vida trágica.

— Arriba desta banda agora!
— Do norte! do norte!

Lá em cima, um a um, largam a corda e tornam a baixo a correr. O velho resfolga e a criança de colo desata a chorar.

— Vá lá a ver, gente! Vá lá a ver, por Deus, homes!

Ao longe puxam-se outras netas. São seis ou sete que trabalham por dia. Mais para o fundo os montes todos roxos saem do mar esverdeado. Ao norte o paredão parece maior e mais escuro ... Gritos. Palmas. Viu-se o boiar, sinal de que vem cheio.

— Arriba! Arriba! Força!

Dois, três homens entram no mar, deitam-lhes as mãos num grande arranco e a onda inunda-os dos pés à cabeça.

94

— Arriba, gente!

— Ah, rapazes!

E aí vem o saco pela areia acima por entre gritos e o derradeiro esforço das mulheres, dos homens, do pequeno que mal chega à corda, já entregue às mãos rudes que o hão-de afeiçoar, da rapariga com o filho seguro pelo xaile, e do velho desdentado, que já não pode mais e que enterra os pés na areia — três figuras para um grupo de trabalho, todas três dobradas a arrastar a mesma cruz da vida.

É noite, mas toda a noite se pesca. O peixe, trinta xalavaras, vai ser aleiloado e vendido ... Não tiro os olhos do quadro e vejo atrás destas figuras outras figuras e outras gerações. Foi sempre assim. Os mortos entregaram aos vivos este fardo para carregar. Era assim, com a nobre arte da chavega, que os nossos pais tiravam o ventre de misérias.

— Venha arriba, com o Corpo de Deus, homes!

Já se não distinguem os montes. Ficaram só aqueles fantasmas roxos e o paredão a pique que se recorta mais negro e mais compacto na última poalha esvaída do sol.

A MULHER

Toda a noite ouço chamar de porta em porta:

— Ó sr. António, são duas horas. Vamos lá ver abaixo, com Deus. Está marzinho.

Adormeço. Levanto-me. Mas por mais cedo que me levante, já a praia está animada e viva. Fixo as mulheres arrostalhadas pelo chão, sentadas em grupos, ou voltando para casa com o dedo indicador metido na boca das raias escaladas e já prontas para a ceia. São a vida desta terra. Surpreendo-as na labuta de todos os dias: carregando peixe, salpicando-o de sal e estendendo na areia sobre palha o cação, o polvo, o carapau, para a seca;

sentadas às portas discutindo ou praguejando umas com as outras no leilão: — Mar te alimpe! — Mar te afervente! — Algumas são já velhas e deformadas pela vida, mas conservam um clarão de energia no olhar. — Onde vai? — Vou ao estandar buscar peixe. — Baixas quase todas, de ancas largas e peitos sólidos. Grosseiras e fortes. Língua de um poder expressivo inigualável, colorida e pitoresca, quando se zangam, quando vão buscar os homens à taberna, quando falam ao mesmo tempo e gesticulam, ou a chorar quando contam a sua vida de bestas de carga. Duas descompõem-se, uma em frente da outra, com as mãos na cinta: — Olha cá, Mar' da Luz! — Que queres tu, Mar' Santana? — O que quero eu? Quero saber em que contos me foste meter co'a Lianor na borda-d'água. — Eu! só es estás pardinal! (bêbada) — Estou sim, vem cá tomar o bafo. Pensas que sou coma'ti que vinhas noutro dia areada pelo caminho de fora (a estrada). — Como sabes que teu home só vai ao mar quando ele está de rojo (calmo), por isso é que falas dessa maneira. — Então o meu home não é tanto com'ó teu?... — Descompõem-se e engalfinham-se ... É um momento, um momento único de balbúrdia, cheio de exclamações e de gestos imprevistos e duma vida de instinto que vem de repente à tona. As outras formam roda. Vestem todas da mesma maneira, todas de preto. — Lenço de pontas caídas; por cima o cabeção da capa de lã, que lhes chega um pouco abaixo dos quadris e as resguarda do frio e da salmoura; e sobre a capa um chapéu de feltro grosso com as abas altas reviradas e uma grande borla ao lado.

Isto numa mulher alta e airosa é um dos mais lindos e discretos vestuários que conheço. A capa emoldura-lhe a fisionomia; do chapéu, se é loira, saem-lhe as mechas douradas que tão bem ficam no preto. Não há nada que corrigir nas linhas da capa, que encobre e realça as formas, e o tom escuro não dá nas vistas e harmoniza-se com todos os tipos e todos os ambientes, aumentando a distinção da figura e acabando por a pôr em destaque sem exageros, chamando naturalmente para ela todas as atenções, sem que as reclame.

São elas que alimentam toda esta região de Leiria a Santarém e que levam ao lavrador, ao paleco, como lhe chamam, e ao jornaleiro enfastiado de pão seco o mantimento, o presigo saboroso. Com azeitonas, uma caneca de carrascão negro e espesso como tinta, e três sardinhas, já a vida toma outro aspecto para o homem calcinado de remover a terra. São elas que toda a noite, quando se pesca toda a noite, separam o peixe, o amanham, o secam no tendal e o levam para os armazéns de salga. E pela manhã põem-no a caminho para as Caldas (20 km) ou para Alcobaça (12 km) com o peso de duas ou três arrobas à cabeça. Infatigáveis. Em tempos chegavam a ir a Santarém, acompanhando o burro com a carga e trotando ao lado da alimária. Apregoam pelos casais disperos e deitam a um canto os maiores e mais espertos negociantes desta terra. À noite dormem — se não há peixe na praia. Se há, partem outra vez com a canastra à cabeça e um pedaço de pão no bolso para o caminho. E o tempo ainda lhes sobra para cuidar dos filhos e para trazer a casa limpa e esteirada. Nenhum pescador vive como o da Nazaré pode-se comer no chão.

A velha que tenho diante de mim é o tipo que esta vida foi transformando, amolgando, rugas por onde têm caído as lágrimas, mãos deformadas e negras, que ganham o pão de cada dia, cheiro a salmoura, e uma beleza extraordinária, a beleza da verdade e da vida trágica, dos que cumprem a existência e só caem esfarrapados e exaustos:

— O estipor da vida que eu levo, sempre molhada até aos ossos! até ficar encarangada como estive sete meses! Juro pela rosa divina (o sol) que é verdade o que digo! Por causa destes homes! pelos sete filhos que criei aos meus peitos, dia e noite naquela estrada! Às vezes a minha vontade era deitar-me no chão e nunca mais me erguer. Se há inferno! se depois do que eu tenho chorado inda há inferno!... Assim Deus me livre daquele leão sagrado (o mar), ou eu seja como a António da Joana (cega) se não falo verdade ... Morrer? diz vossemecê que é melhor morrer? Não! viver pelos netos, pelos homes, e trabalhar até ao fim dos meus dias.

Tive sempre a ideia de que quem manda em todo o país é a mulher. Na lavoura, às vezes o bruto bate-lhe, mas é ela que o guia e lhe dá os mais atilados conselhos. E é ela em toda a parte que nos salva, parindo filhos sobre filhos para a emigração, para a desgraça e para a dor. Creio que só assim parindo e gemendo, tecendo e lavrando, mas principalmente parindo, é que se equilibra a nossa balança comercial, o que nos tem permitido viver como nação independente. Valem mais que o homem, sacrificam-se mais que o homem — mas aqui o seu trabalho é tão palpável que toda a gente afirma que a mulher da Nazaré é a alma desta terra. Os pescadores obedecem-lhes — a bem ou a mal, dizem... Não é, como em toda a parte, insinuando-se, que a fêmea, mais fina que o homem porque cria, o governa nesta terra. Aqui impõe-se, aqui existe a verdadeira e autêntica casa do Varunca — e sólida, apesar de edificada sobre areia ... Da praia para cima só elas põem e dispõem. Eles, saindo do barco, metem-se na taberna e bebem. Sóbrios na comida, gastam quase tudo o que ganham a beber: a percentagem e a rodada ou o giro. Só entregam em casa intacto o salário. Se as mulheres lhes batem, como corre, na verdade acho bem feito. — Eles merecem-no ...

O SÍTIO

Antes de me ir embora vou lá acima, ao Sítio. É uma aldeia branca e deserta, com o templo, a capela e o penedo onde se deu o milagre. Do alto deste grande morro descobre-se de aeroplano um largo panorama — o mar infinito, a ampla baía formada pelos montes, a branca Nazaré ao pé da areia, a toalha líquida do rio-zinho que se espraia e detém ao chegar à costa, e do lado da terra os eternos pinheirais, donde emerge o cone mais agudo de São Bartolomeu, com a ermida e a guarida do vigia. Percorro as ruas e a praça. O silêncio duma povoação abandonada. Só encontro o padre, duas mulheres e uma criança. Os homens foram todos (mais de trezentos) para a longínqua pesca do bacalhau, que dura de Maio até Dezembro. Durante essa longa ausência a mulher não muda de roupa nem de vestido e nunca mais se deita na cama onde dormia com o homem, que lhe leva a enxerga para bordo: fica no chão com os filhos sobre esteiras.

Regresso na véspera de Santo António. Todo o campo está iluminado e o céu cheio de estrelas. Não há casal onde não arda uma fogueira, e parece que são as cintilas do lume cá de baixo que se agarram e reluzem no escuro lá de cima.

[LISBOA, SETÚBAL, SESIMBRA E CAPARICA]

PARA o sul da Nazaré pesca-se na Foz do Arelho, onde os homens ergueram palácios em frente do mar, o que me parece fora de todo o propósito: diante do mar só uma construção transitória, uma barraca, é que fica bem: e junto à Foz, na lagoa de Óbidos, jóia azul encastoada em terras barrentas, onde se apanham magníficas tainhas. Pesca-se em São Martinho, uma gota de água entre montes avermelhados. Pesca-se no Seixal, na Atalaia, em Ribamar, em Santa Cruz, no Assento, na Ericeira e em Cascais. Em toda a costa há buracos, angras, refúgios em que a onda se espraia, fios de areia que parecem de oiro, águas adormecidas entre pedras recortadas, anfractuosidades, terra portuguesa que vem desde o monte da Gelfa estendendo os braços para o mar, e que aqui em Lisboa o aperta mais contra si. Estreita-o em Setúbal, e depois em Sines, e por fim em todo o Algarve, nas bacias de São Vicente e de Sagres, no espaçoso Lagos, nas rochas decorativas, em que as despedidas se prolongam com saudade. E o mar, que é quase sempre revolto e verde no norte, vai pouco e pouco mudando de cor ... Conhece-se logo, passado o cabo, na Figueira: depois em Peniche; quando entra por Lisboa com majestade e beleza; e nas praias do Algarve, em que chega ao cobalto grosso como tinta. Mas onde ele atinge a perfeição é em Setúbal. Em Setúbal é imaterial. Sonha ao pé da estrada que vai a Outão, e reflecte na água cismática a sombra avermelhada dos montes, a grande curva voluptuosa com a Arrábida por pano de fundo. Ali sente-se que a água anda presa à baiazinha, a Outão e à serra. Contemplam-se e não se podem deixar. O mar não tem consistência: não é o verde do norte, não é o caldo azul do Algarve — é poeira e luz. Para os lados do Sado a baía é ilimitada ... Um clarão. E há uma época do ano em que a serra se veste de roxo, e então é que é vê-la desdobrada nesta água que é sonho e adormecimento ao mesmo tempo.

Alguns homens fisgam a lula, metidos na água até à cinta. Vapores carregam infatigavelmente barcos de sardinha. São montanhas que todos os dias se extraem do mar. A matança é enorme e constante. Pesca-se em Lisboa, em Sesimbra, na costa da Arrábida, em Sines, Galé, Porto Covo, etc. Só no distrito de Lisboa há doze portos de pesca marítima e dentro e fora da grande baía de Lisboa trabalham os seguintes barcos: dezoito cercos, vinte e oito vapores de arrasto, sessenta e seis barcos com setecentos e sessenta e três aparelhos de anzol; cento e oitenta barcos com mil cento e noventa redes — arrastos, botirões, branqueiras, camaroeiros, chinchas, chinchorros, corvineiras, covos, sabugagens, savaras, solheiras, tresmalhos e rascos.

Vão e vêm os galeões a vapor, as canoas, os saveiros grandes com doze tripulantes e que levam uma tarrafa para pescar a sardinha fora da barra, os botes e chatas, os barcos que acompanham os galeões e que se chamam buques, os saveiros pequenos com dois pescadores, que levam cinco savaras para peixe miúdo, nove sabugagens, nove tresmalhos e nove branqueiras; cinco barcos com quatrocentos e onze aparelhos que pescam fora da baía.

Só os vapores fizeram em 1922 vinte mil contos, números redondos, em peixe graúdo, e os cercos cinco a seis mil contos de réis em sardinha. Em Setúbal partem todos os dias os barcos para o mar. O movimento redobra. Setúbal e Olhão são os dois grandes portos de pesca. Sardinha — sardinha — sardinha ... Esta península da Outra Banda, limitada por duas baías, devia ser um paraíso, pelo seu excepcional clima e pela sua luz admirável, e bastante, só ela, para, terra e mar, alimentar duas ou três vezes a população de Lisboa, se terra e mar fossem convenientemente cultivados. Mas nós só temos um sistema bem organizado — o da destruição.

CAPARICA

Da horrível Trafaria à Caparica gastam-se dezoito minutos num carrinho pela estrada através do pinheiral plantado há pouco. Os pinheiros são mansos, ananinhos e inocentes — os pinheiros novos são como bichos novos e têm o mesmo encanto ... Ao lado esquerdo desdobra-se o grande morro vermelho a esboroar, e ao outro lado o terreno extenso e plano rasgado de valas encharcadas. De repente uma curva, algumas casotas cobertas de colmo — Caparica. Primitivamente isto foi um grupo de barracas que os pescadores aqui ergueram neste esplêndido sítio de pesca, à boca da barra, a dois passos do grande consumidor. Têm um lar ainda ma s humilde que os palheiros de Mira ou Costa Nova. Quatro tábuas e um tecto de colmo negro com remendos deitados cada ano: alguns reluzem e conservam ainda as espigas debulhadas do painço. No imenso areal o barco da duna, sempre o mesmo barco, maior ou mais pequeno, próprio para a arrebentação, de proa e popa erguidas para o céu.

Trabalham seis companhas em catorze barcos. Já trabalharam oito. Cada barco emprega vinte e um homens, contando dez que ficam em terra. Usam quatro remos: um grande de cada lado e dois pequenos, servindo os maiores para aguentar o barco quando as águas puxam e se vai ao mar a risco. A cada remo grande agarram-se três homens e dois aos mais pequenos. O espadilheiro guia o barco com outro remo — a espadilha. Quando há muito peixe fazem-se três lanços cada dia, e traba ha-se todo o ano se o mar deixa. A rede é a de arrasto para a terra. O barco sai ao mar deixando um cabo nas mãos dos dez homens que ficam no areal, e vai-o largando pouco e pouco — cinquenta e tantas cordas de dezoito braças cada uma. Quando o arrais acha que se deve largar a rede, diz: — Em nome da Senhora da Conceição, rede ao mar! — E larga-se o calão, em seguida o alar, depois o saco, e por fim o outro alar e o calão, trazendo-se a corda para a terra. Abica, salta a tripulação e com os homens de terra arrastam a rede. Apanha-se sardinha, carapau, e às vezes, em lanços de sorte, e quando menos se espera, a corvina, alguma raia, pargo e linguado.

Uma grande extensão de areal, só areia e mar, barcos como crescentes encalhados e alguns pescadores remendando as redes. Nem um penedo. Areia e céu, mar e céu. Dum lado o formidável paredão vermelho, a pique, desmaiando pouco e pouco, até entrar pelo mar dentro todo roxo, no Cabo Espichel. Do outro o mar azul metendo-se, num jorro enorme, pela ampla barra de Lisboa, deslumbrante e majestosa. Donde isto é esplêndido é acolá do alto do Convento dos Capuchos. Assombro de luz e cor. Amplidão. As casotas da Caparica aos pés, o mar ilimitado em frente, ao fundo e à direita a linha recortada da Serra de Sintra com as casinhas de Cascais e Oeiras no primeiro plano esparsas num verde amarelado ...

E a luz? E o prodígio da luz?... A gente está tão afeita à luz que não repara nela e trata como uma coisa conhecida e velha este azul que nos envolve e penetra e que desaba em torrentes sobre as águas verdes desmaiadas e sobre as terras amarelas e vermelhas até ao Cabo Espichel ... Mas fecho os olhos — abro os olhos ... Imensa vida azul — jorros sobre jorros magnéticos. Todo o azul estremece e vem até mim em constante vibração. Quem sai da obscuridade para a luz é que repara e estaca de assombro diante deste ser, tão vivo que estonteia ...

Da lazarenta Cacilhas à piscosa Sesimbra são seis léguas por uma estrada atravessada de barrancos, que o tráfego do peixe arruinou. Grupos de pinheiros mansos, ramilhetes de oliveira, e de quando em quando, por um rasgão imprevisto, o esplêndido estuário do Tejo, e ao longe Lisboa na moldura de terras a pique, cor de barro. Dia de sol — primeiras flores nas árvores. Até próximo de Sesimbra a estrada segue por terras uniformes cor de giz. De quando em quando o panorama alarga-se e vê-se até ao mar. Reluz num fundo a chapa de aço da Lagoa. Mais para além um grande areal indistinto. A certa altura, porém, começa a aparecer à esquerda o dorso formidável da Arrábida e algumas casinhas juntas com lindos nomes rústicos — Quintinha, Santana, Cotovia. Estamos perto. A carripana vai descendo para Sesimbra pela estrada em torcicolos, entre dois montes que se abrem, um com moinhos velhos afadigados lá no alto, outro com o castelo em ruínas como um queixal cariado. A vila em baixo fica aconchegada no regaço dos montes que a amparam e desce-lhes até aos pés — até ao grande areal exposto ao sul, que a ponte do forte Cavalo limita à direita, e o morro do Aguincho, acabando em focinho desmedido e brutal, limita à esquerda. A esta hora, seis da tarde, um está reduzido a sombra espessa, e o outro escorre ainda o vermelho do último sol. Um grande forte de Lippe, raso com o mar ao meio da praia cheia de barcos encalhados e de reboliço humano. Casas pobres, casas lacustres, armazéns, redes a secar nos varais. Anoitece, mas a vida não cessa. O peixe das caçadas é arrematado à noite, quando os barcos regressam da pesca. Pelo areal fora, em quatro ou cinco fiadas paralelas, cada caçada expõe o seu peixe, que reluz ao luar com um tom de prata antiga — gorazes a um lado, e pescada, chernes a outro, todos em quatro, cinco filas alinhadas e o grupo de regatões à roda a disputá-los no clarão dos archotes.

Usam-se em Sesimbra dois sistemas de pesca: a armação à valenciana, que dá a sardinha e o chicharro, e a pesca do anzol, que dá a pescada, o goraz, o pargo, o cachucho, etc., além de outras de menor importância, como a sacada a arte de arrasto para bordo e a arte de arrasto para terra. A lula pesca-se com alfinetes, a lagosta com covos e o polvo com cacos velhos.

A armação emprega quatro barcos e quarenta homens, pouco mais ou menos, e a barca de caçada dezoito a vinte pessoas e perto de trezentas talas com anzóis. O proprietário da armação dá ao pescador dez tostões diários, e vinte por cento sobre o produto da venda, incluindo o arrais e a rodada de cinco homens que conduzem o peixe à lota, a quem é distribuído mais quinze por cento. Do peixe têm todos dois caixotes para a alimentação. Na arte de arrasto, a quarta parte da venda é para o proprietário e o e o resto para a companha, que paga o imposto à alfândega, o sebo, os archotes o azeite, e, sendo o lanço grande, a renda da loja.

São mais de quinhentas as embarcações varadas no areal — barcos, botes e aialas, e além destas o batel com uma trave saliente na proa, o gavete, que serve para levantar a testa da armação.

O pescador de Sesimbra, que vai às vezes muito longe, não conhece a agulha de marear. Regula-se pelas estrelas e pela malha encarnada da serra. Lá fora, quando vê o cabo ao nível de água, diz que está no mar do cabo raso, e, quando o farol desaparece, está no mar do cabo feito. Conhece a costa a palmo: o mar novo, que dá o peixe-espada, o mar da regueira, que dá a pescada, o mar da cornaça, que dá o goraz e o cachucho, e o da rapa-poitas, que dá os grandes pargos, conhecidos por pargos de morro.

Este homem é de instinto comunista. Se um adoece, os outros ganham-lhe o pão: recebe o seu quinhão inteiro. Se morre, sustentam-lhe a viúva e os filhos, entregando-lhe o ganho que ele tinha em vida. Dão ao hospital e ao asilo uma parte do pescado. Toda a gente tem direito a ir ao mar — toda a gente tem direito à vida. Vai quem aparece, desde que seja marítimo. Acontece que o barco leva hoje quarenta homens e leva vinte amanhã ... O produto das artes é dividido em quinhões iguais pela companha. A pesca do anzol é uma espécie de cooperativa, e a barca quase sempre dos pescadores.

Seis horas da manhã. Noite de luar claro e frio. Desço a rua ainda tonto de sono. Ao longe o moço chama: — Ó tio Julião, vamos embora ... prà loja!... Muitos homens dormem na barraca onde se guardam os apetrechos das artes. Entro. Uma luzinha fumega. Redes, remos, cabos, pedaços de velas, e sombras, tudo misturado. Remexem vultos no escuro. Sobre a tarimba, mal distingo farrapos de homens deitados.

— Vá lá! vá lá!... — diz o arrais.

Erguem-se, juntam-se e o grande barco começa a deslizar nos panais. Salto dentro e encolho-me ao pé do moço, na caverna. É noite, noite de lua redonda e gelada. Os homens remam em cadência e o panorama vai saindo do escuro à medida que o barco se afasta, todo em sombras empastadas enormes, cortadas a pique, que se destacam pouco a pouco umas das outras em fantasmas de penedos, em morros salientes com buracos metidos lá para dentro ... Ao cimo da água, dum azul quase negro, escorre o luar em tremulina. São mil fios de luz que estremecem ao mesmo tempo ...

Sete horas. Lua ainda muito alta aspergindo a terra de pó branco. O barco abriga-se do noroeste junto à costa, ao pé dum grande penedo donde se levanta uma revoada de corvos assustados. Ao nascente, sob a Estrela de Alva, distingue-se uma nódoa rosa. O moço vai dizendo o nome de todas as pedras e explica:

— Aqui estamos abrigados da lapeirada do vento ...

Noto que a luz já não é a mesma. Não é a claridade do dia, é ainda o luar. Mas o pó branco sensibilizou-se e estreme.

— Vamos lá! Vamos lá às artes!

Os homens remam numa cantilena monótona: — Rema!
Rema! Ceia agora!...

Ergo-me e vejo o mar coberto de embarcações iluminadas
pelo fogaréu dos archotes. São as artes, que esperam o nascer do
sol para o lanço; são as armações que começam a alar a rede:
— Rema! Rema!... Avermelha e alastra a mancha do nascente ...

Momento único. Momento em que o branco desmaia e em que
a luz do luar e a luz do sol se entranham e misturam. O grande
manto branco escorre sobre as águas e já o nascente lhe ilumina
a esteira mágica, que estremece toda. Olho para o céu: no céu,
azul às enxurradas lavando-o do luar. Aumenta e alastra a claridade. A lua teima, caem jorros brancos que não cessam, mas o
nascente, num triunfo, enche tudo de luz. Os grandes morros
emergem da tinta azul como colossos ensanguentados. Mais fragas
além — toda a costa recortada. Cabos enormes e maciços, e ao
longe o Pombeiro entrando de rompante pela água dentro. Panorama a vermelho. O sol escorre sobre as palhetas do grande manto
branco, que vibram como se fossem levantar voo. E todo esse
luar magnético e branco, ao mesmo tempo que estremece e reluz,
doira um instante e morre ...

É quase dia. Sobre o nascente duas nuvenzinhas como véus.
Já distingo as silhuetas dos homens alando as artes contra a luz.
Dois barcos puxam a rede e juntam-se à medida que se aproxi-
mam do saco.

— Leva arriba! Leva arriba!

— Agora! Agora!

O saco está à borda. Vêem-se as bolhas cobrindo a superfície
da água: o gorgolido. A sardinha não tarda a vir com a cabeça ao
de cima. É o que se chama coutejar. Já os homens começam a
tirá-la para dentro dos barcos com as xalavares.

— É pouca ...

— É uma teca — diz o moço, designando a pequena porção
de peixe.

Sete e meia. É dia claro. Ao pé de mim mergulham dois patos pequenos de dorso escuro e peito branco, dois macorrilhões, e um roaz salta fora da rede. Os primeiros raios de sol batem em cheio em Sesimbra apinhada à beira-mar.

— Vamos agora ao calhau.

É uma armação valenciana, de que se vêem as grandes bóias de cortiça ao lume de água — construção complicada que se compõe de corpo, rabeira e legítima. O corpo compreende a câmara, o bucho e o copo, trapézios mais ou menos regulares, fechados por redes verticais que vão da superfície até ao fundo. A rabeira vem da terra até à boca da armação, de maneira que a sardinha, encontrando-a, caminha até à boca do copo, onde se mete.

Quando chego, já os homens, de avental de oleado, puxam o corpo para a borda dos barcos, apertando pouco a pouco o cerco.

— Ou! Ou!

— Leva arriba! Leva arriba!

O movimento dos braços acentua-se. Curvam-se, agarram a rede, erguem-na até si. O barco, cheio de água, adorna.

— Ou! Ou! Vai! Vai!...

Estamos quase à testa do copo e a rede metida no meio dos barcos. A sardinha salta. Mergulham as grandes xalavaras encabadas num pau dentro do saco, tirando-as cheias de vida.

— Venha de lá uma caldeirada!

Vamos regressar. A vaga estoira na areia. O mar está corso.

— À terra! À terra! À espia! — grita a companha. Aproximamo-nos. Agarram-se a um cabo fixo no mar e vão-no puxando a si: o barco corre direito à maresia. É o momento dramático: a onda apanha-o, impele-o, salpica-nos de espuma e atira-nos pela areia acima ...

[S A R D I N H A !   S A R D I N H A !]

O que se arranca ao mar só em sardinha é prodigioso. Todas as manhãs os vapores correm as armações valencianas e trazem os barcos carregados para a fábrica. Todas as noites infatigavelmente o cerco americano apanha sardinha; todo o dia infatigavelmente a arte da chavega no Algarve, as netas e outros aparelhos por essa costa fora, puxam a rede para a terra. Pescam nas nossas águas os galeões espanhóis, os navios ingleses e franceses; e as criminosas traineiras, depois de exterminarem o peixe na costa da Galiza e na baía de Vigo, onde ele entrava em inesgotáveis cardumes, espalhando-se pelos braços da ria, matam-no a dinamite e a carobreto, de Peniche até Leixões e mais para o norte ainda. De dia, de noite, rapam-na os pescadores do fundo do mar. Juntam-se os poveiros, os do norte e os do sul, os algarvios, os dos grandes aparelhos aperfeiçoados e os dos aparelhos primitivos, e todos os dias alastram os areais de peixe vivo, que se vende fresco, salgado, em latas e barricas, que se consome no País ou se exporta para o estrangeiro. Em alguns pontos, como em Olhão, por exemplo, a sardinha é um jogo apaixonado. Enriquece e arruína, compra-se a prazo, e vende-se às vezes mais barato do que custa, quando o fabricante se vê obrigado a lançá-la ao mercado. Nenhum peixe dá mais dinheiro e poucos têm mais préstimo. Ocupa o terceiro lugar na escala da alimentação e está muitos furos acima do bacalhau, o fiel amigo.

É aos montes que a sardinha é apanhada por essa costa para enriquecer meia dúzia de felizes. Daqui a meio século não há uma escama nas nossas águas fertilíssimas. O planalto que se estende até algumas milhas da costa, e que foi revolvido pelos vapores de arrasto, matando a criação e reduzindo à pobreza os pescadores primitivos, é agora explorado pela indústria por todos os processos e feitios. Sardinha — sardinha — sardinha ...

Carregada em barcos, a dorso de cavalgadura ou nos carros alentejanos de toldo e grandes rodas, acarretam-na para a fábrica. Levam-na os rapazes e as mulheres em gigos e redes para casa. Furtam-na os homens da companha que têm uma larga parte nesta matança. Só um mestre dum barco do Fialho ganhou em 1922 em percentagem, afora o ordenado e o quinhão, quinze contos de réis. É o peixe que dá mais dinheiro. Por isso a destruição é enorme e sem folga, dura o ano todo, antes da desova e depois da desova, à rede, a tiro, sem cessar e sem tréguas — uns barcos em terra, outros no mar, uns pescando-a e outros conduzindo-a, com a borda metida na água. Cheira a sardinha.

Como os antigos pescadores já não chegam para esta matança, chama-se em auxílio a gente da terra — no Algarve o montanheiro, no norte o lavrador. Multiplicam-se as fábricas, procuram-se novos meios de destruição. O azeite corre como um rio: é preciso importá-lo, que não chega. O sal aumentou de preço, porque só este greiro branco permite que o peixe não se estrague. Ao sair do barco, até o peixe que se destina à conserva é logo salpicado. Organizam-se companhias a toda a pressa, e de norte a sul a exploração redobra. É uma febre. São montanhas de prata que o mar produz — tão grandes e tão inexgotáveis que ainda hoje do alto da Arrábida sucede ver-se todo o mar reluzir com o cardume.

Tenho a impressão de que o mar é compacto, só sardinha — sardinha — e sardinha. Estou farto.

[O L H Ã O]

Tᴇɴʜᴏ de atravessar o Alentejo isolado e concentrado, para chegar ao Algarve. É uma província farta, mas a aparência esquelética, a árvore triste a que arrancam a pele em vida, o monte solitário, meteram-me sempre medo. É a terra do ódio. Tudo em que a gente põe a vista é duro e hostil. Ainda o Alto Alentejo quer sorrir — mas o sorriso fica em meio, reservado e triste. Os pinheiros mansos agrupam-se e conversam baixinho uns com os outros para fugirem à solidão do deserto... No Baixo Alentejo, porém, os sobreiros, a cor da terra esfarrapada, o céu esbranquiçado, as lascas de pedra que reluzem como vidros negros e polidos, enchem a alma de monotonia e pesadelo. Uma grande fumarada levanta-se no fundo de deserto...

Os homens não se podem ver: um abismo separa o trabalhador do proprietário, que goza em Lisboa, e que lhe deixa de quando em quando uma *folha* para desbravar. Desbravada, tira--lha. E esta solidão redu-lo a atroz realidade. Fica só e o ódio, sob a abóbada de pedra que encerra o extenso panorama, entregue ao tempo que não passa, à morte que não vem, à secura das almas, pior que a secura da terra. Resta-lhe o ódio: com o ódio enche o deserto e enche a própria vida ...

De manhã saio em Olhão deslumbrado. Céu azul cobalto — por

baixo chapadas de cal. Reverberação do sol, e o azul mais azul, o branco mais branco. Cubos, linhas geométricas, luz animal que estremece e vibra como as asas de uma cigarra. Entre os terraços um zimbório redondo e túmido como um seio aponta o bico para o ar. E ao cair da tarde, sobre este branco imaculado, o poente fixa-se como um grande resplendor. É uma terra levantina que descubro; só lhe faltam os esguios minaretes. Duas cores e cheiro: branco, branco, branco, branco doirado pelo sol, que atingiu a maturidade como um fruto, pinceladas de roxo uniformes para as sombras, e um cheirinho suspeito a cemitério. O fruto que chega a este estado está a dois dedos do apodrecimento, e é talvez por isso que a ideia do sepulcro me não larga nas noites brancas e pálidas em que me julgo perdido num vasto campo funerário ...

O céu aproxima-se de mim. Da açoteia chego às estrelas com a mão. A aragem do mar é tépida e o cheiro persiste ... Voluptuosidade e morte. Tenho a sensação criminosa de apertar nos braços uma mulher que se entrega, no momento em que entreabre a boca, sucumbida — num vasto campo-santo, onde os espectros imóveis e brancos, de sudário, olham e esperam ... O fruto vai completar o seu destino. Cheira que tresanda.

Há meio século, Olhão, entranhado de salmoura e perdido no mundo, vivia só do mar. Todos se conheciam. Os que não eram marítimos, eram filhos ou netos de marítimos, contrabandistas uns e outros pescadores costeiros e pescadores do alto que iam à cavala a Larache. A pesca costeira, a das caçadas, fazia-se com groseiras, grandes espinhéis, para o cachucho, o goraz, o safio, a carocha, o ruivo, a abrótea e a pescada; e com a arte da chavega, em calões e botes, puxando a tripulação o aparelho para terra enquanto o arrais, numa pequena lancha, a calima, vigiava o lanço e dirigia a manobra. Havia muito peixe e a vida era extraordinária. Toda a noite o chamador batia de porta em porta com um cacete:

— Arriba com Deus, mano João!

114

Nesta arte ia ao mar quem queria — os pequenos, os humildes e os fracos — todos de varino e por baixo nus.

— Levas a barça? — perguntava o arrais.

Era o essencial. Dizia-se de um homem pobríssimo: — Aquilo é um homem sem barça nem lasca.

O dinheiro arrecadava-o o dono num monte com uma esteira por cima, e distribuía-o enfiando o braço por um buraco e tirando um punhado de cobre ao acaso:

— Toma lá!

Fazia as contas que entendia e os pobres diziam:

— O que ele tem enricado à custa daquela esteira!...

E as mães às filhas:

— Ó filha, Deus queira que não olhes para home que ande na arte!...

A pesca do alto fazia-se em caíques cobertos, de vinte e cinco a trinta toneladas, com duas velas triangulares. Este barco voava. Ia a Setúbal, a Lisboa, às Berlengas, ao Porto, e só voltava a casa no S. João, no Natal e nas festas grandes do ano. As mulheres esperavam pelos maridos com alvoroço — dando outra mão de cal nas casas. Tripulavam-no vinte e cinco homens e dois cães, que ganhavam tanto como os homens. E mereciam-no. Era uma raça de bichos peludos, atentos um a cada bordo e ao lado dos pescadores. Fugia o peixe ao alar da linha, saltava o cão no mar e ia agarrá-lo no meio da água, trazendo-o na boca para bordo. O caíque pescava e vendia pela costa fora. Às vezes sucedia-lhe estarem em Lisboa, abrigados do temporal, longe da terra em dias de festa, no da procissão do Senhor dos Passos, por exemplo — a que o marítimo nunca falta, vestindo o melhor fato e pondo a cartola na cabeça:

— Compadre, vamos nós à procissão?

— Ventania rija, vagalhão de meter medo na barra...

— Por cima da água ou por baixo da água, vamos sempre.

— E iam. Marítimos extraordinários, não usaram nunca agulha de marear: sabiam onde estavam pelo cheiro.

Outro barco, o do navego, comprava géneros em Almeria e Gibraltar, palma na Berberia (Marrocos), ou ia a S. Martinho buscar o pêro que tem fama, levando do Algarve o figo, a alfarroba e o peixe seco para vender. Mas o grande negócio de Olhão foi sempre o contrabando. Não é contrabandista quem quer: é preciso inteligência e astúcia, arrojo, o alerta dum chefe selvagem e a imaginação dum poeta. Conheço um contrabandista famoso, o senhor Mendinho, que ainda hoje faz na sua goleta a carreira de Gibraltar. Tem setenta e dois anos, um grande engenho, e promete levar a Alcácer-Quibir todos os poetas portugueses. Agora que criou os filhos, repousa de uma vida cheia de peripécias, num sítio romântico entre figueiras, e começa a escrever as suas memórias. É um mestre reputado. Duma vez um grande temporal assolou a costa algarvia: naufrágios, gritos, mulheres cercando o telégrafo dia e noite, toda a povoação em alvoroço. — Que é de fulano? — Não se sabe! não se sabe!... — Pouco a pouco foram aparecendo derreados, hoje um, amanhã outro — só do senhor Mendinho não havia notícias. — Isso morreu... — Passaram-se dois dias, mais três dias negros. — Morreu, com certeza. — Mas uma tarde correu o grito em Olhão: — O barco do Mendinho está na barra!... Era a goleta, efectivamente — mas em que estado! Os mastros partidos, uma amurada deitada abaixo e as velas em farrapos. Desceu tudo à praia. Meteram-se em barcos e trouxeram-no para a terra abraçado, festejado, aclamado. Quem em semelhante ocasião, depois de tantos perigos corridos, se lembraria de visitar a goleta? Até a guarda fiscal chorava.

— O Mendinho! O Mendinho!... Que milagre! — Ora o mestre Mendinho imaginara aquele espectaculoso cenário refugiado num abrigo de Marrocos: mandara quebrar os mastros, deitar as amuradas abaixo, rasgar as velas — e trazia o porão atulhado de rico contrabando, que descarregou nas barbas do fisco compungido.

Também, diga-se a verdade: toda a gente em Olhão, ricos e pobres, protegia os contrabandistas e entrava no negócio. Nunca

116

em terra se apreendeu uma peça de fazenda. Passava-se de açoteia para açoteia — para o que basta estender os braços — e corria, se fosse preciso, a vila toda, porque nessas ocasiões até inimigos rancorosos se julgavam no dever de esconder o contrabando, e todas as casas tinham uma guardadeira ou falso entre duas paredes.

Em resumo: este homem é um homem à parte no Algarve. Se veio de Ílhavo, como dizem, não sei, mas é o único homem arrojado desta costa.

D. Carlos estimava-os e eles ainda hoje se lembra do rei, a quem falavam, não com a subserviência dos políticos, mas de igual para igual, como a um pescador de maior categoria. Às vezes D. Carlos encontrava-os no mar alto. — Então que tal a pesca? — Nada. — Também, vocês estão aqui, e ali em baixo, a três milhas, o peixe anda aos cardumes. — Mas com este vento, como é que a gente há-de lá ir? — Botem os cabos!... E, voltando atrás, levava-os a reboque do iate até ao sítio da abundância.

O marítimo de Olhão tem, como nenhum outro, um grande sentimento de igualdade: estende a mão a toda a gente. É que no mar os homens correm os mesmos perigos. São também profundamente religiosos, porque estão a toda a hora na presença de Deus. Duas tábuas, a fragilidade e a incerteza, forçam-nos a contar consigo e com a companha. Arriscam a vida para salvar a dos outros: hoje por ti, amanhã por mim. Homens simples porque a profissão é simples e o meio, grande e eterno, não os corrompe. E como o mar abundante e pródigo não tem cancelas, são generosos, imprevidentes e comunistas. Detestam os tribunais, que não compreendem, e ignoram a vida da terra. Se a mulher lhes morre, não entram em licitações com os filhos: deixem-lhes a eles o barco e as redes, e tomam conta do resto. Reparei que em todas as casas havia uma gaiola com um pintassilgo. Os homens do mar tiveram sempre uma grande ternura pelas aves. Na Foz também era assim. Quando os via passar para o Monte com o chamariz, o alçapão e o ramo, lembrava-me sempre de um velho marítimo colérico e um pouco funambulesco da vasta galeria de Dickens. Voz de tempestade e rajadas desabridas. Passeava por toda a parte uma grande irritação e acompanhava-o por toda a parte um canário domesticado, que não lhe tinha medo nenhum, porque sabia perfeitamente que sob aquele aspecto de ferocidade se escondia uma alma feminina. O rude pescador de Olhão, que passa a existência no mar, também tem necessidade de uma ave e não pode viver sem a sua companhia ...

Em todo o Algarve a mulher é a prenda da casa. Trá-la muito bem tratada, muito bem fechada, restos da vida moira. A de Olhão, trigueira, de olhos negros e um lindo sorriso reservado, passa por a mais bela da província, pela vivacidade, e pela fartura do cabelo. Já em S. Brás de Alportel, ali perto, as cabeças têm reflexos doirados e os petos são desenvolvidos. Sentadas nas esteiras sobre os calcanhares, nas casas forradas de junco ou de palma, fabricam as alcofas, a golpelha em que se transporta a alfarroba e o figo, e as alcofinhas mais pequenas, chamadas «alcoviteiras». Ainda há pouco tempo todas usavam cloques e bioco. O capote, muito amplo, e atirado com elegância sobre a cabeça, tornava-as impenetráveis.

É um trajo misterioso e atraente. Quando saem, de negro, envoltas nos biocos, parecem fantasmas. Passam, olham-nos e não as vemos. Mas o lume do olhar, mais vivo no rebuço, tem outro realce ... Desaparecem e deixam-nos cismáticos. Ao longe, no lajedo da rua ouve-se ainda o cloque-cloque do calçado — e já o fantasma se esvaiu, deixando-nos uma impressão de mistério e sonho. É uma mulher esplêndida que vai para uma aventura de amor? De quem são aqueles olhos que ferem lume?... Fitou-nos, sumiu-se, e ainda — perdida para sempre a figura — ainda o som chama por nós baixinho, muito ao longe — cloque ...

Antes de casar a mulher enfeita-se muito. Depois não. — Já enganei quem tinha a enganar ... — dizem. Mesmo, se continua a enfeitar-se, murmuram dela:

— É alvanaira. — É ela quem dirige a casa e quem incute ânimo ao homem timorato. De noite, quando ele tem medo às bruxas, acompanha-o ao barco. Nas ocasiões graves, se é preciso falar, quem fala é ela. Sózinha, põe e dispõe. Quando o homem vai ao médico, precede-o. Ele cala-se, ela explica. — Ele que tem? — Ela responde: — Olhe, queixa-se disto e daquilo ...

Todos estes costumes vão desaparecer. Na população, maior que a de Faro, os naturais estão em minoria e vão sendo pouco a pouco expulsos da sua própria terra. Já o povo canta:

Adeus, ó terra de Olhão,
Cercada de morraçais,
És a mãe dos forasteiros,
Madrasta dos naturais.

Sigo por um novelo de ruas pelos dois bairros típicos, o da Barreta e o da banda do Levante. A boca negra dum arco e outra rua tortuosa onde a luz não penetra. Algumas têm nomes que as pintam: a Rua dos Abraços, a Rua dos Sete Cotovelos. Vive-se ao ar livre, come-se ao ar livre, dorme-se ao ar livre. A rua, fedorenta e animada, pertence aos pobres. Abancam no meio das vielas. Mulheres curvam-se sobre as sertãs frigindo peixe. O azeite respinga e fede. Risos. Reparo nas atitudes, no suor e na cor avermelhada das mulheres debruçadas sobre as brasas, na familiaridade, no à-vontade, e naquele velho sátiro que avança para mim, com a caneca de vinho na mão a transbordar. À roda, encostados às paredes, os remos, os cabazes e as redes; ao lado o cano de esgoto que passa à mostra pelo meio da rua num escorro fétido.

Mas, se a rua é suja, a casa é limpa. A habitação primitiva é um cubo com uma porta e uma janela. Em cima a açoteia para onde se sobe por degraus de tijolos, e muitas vezes sobre a açoteia o mirante. Entro num e noutro destes buracos com as telhas assentes em canas. Todos eles reluzem de cal. Dois compartimentos: a chaminé, que é o nome da cozinha, e a casa de fora. Uma esteira no chão, uma cama com uma colcha de seda, que só serve nos dias de festa, uma cómoda e um bancal de renda. A um canto um pote e o indispensável pincel. Caia-se tudo. Caia-se o lar e os degraus. Caia-se sempre. É um delírio de branco. Subo à açoteia — a melhor parte da casa. O homem de Olhão tem por ela uma paixão entranhada. Se um vizinho a ergue, ele nunca fica atrás — levanta-a logo mais alto. É que a açoteia é o seu encanto: sítio esplêndido para respirar, eira para a alfarroba e o figo, e quarto de dormir no Verão sob um pedaço de vela.

É no cais, ao pé da praia, a que chamam baixa-mar, é no cais fedorento, entre os homens que andam na faina, os estaleiros abandonados e as caixas de sardinha para embarque, que eu assisto todos os dias ao espectáculo da chegada dos barcos e que vejo os peixes, as redes e o leilão. Para lá da água empoçada ficam os areais, a ilha da Armona, a do Levante, a ilha da Culatra e o farol de Santa Maria. Perto de mim as velas dos barcos reflectem-se em manchas coloridas no azul retinto e ondulado. Desde o calão, tipo mais antigo, grego ou fenício, até ao caíque, estão aqui representados a chalupa, o iate de pequena cabotagem, o bote, as lanchas de vela latina e as de Albufeira, com uma grande cabeleira na proa e dois olhos pintados no costado. Ao lado do cais ficam os armazéns da salga, donde outrora saía a sardinha em barris para Orão e Marselha, a pescada descabeçada para a Espanha e os almocreves com cargas para o Alentejo. Entro. No escuro pios metidos no chão, preparos para a salga do biqueirão, do charro (chicharro) e da sardinha, e ao lado a caldeira para extrair o óleo do peixe de coiro — azeite de quelme — cuja pele, chamada de lixa, se aproveita para vários usos conforme as qualidades — lixa de lé, a pailona e os barrosos, fêmeas dos quelmes. Em Agosto, quando a sardinha abunda, prensam-na em cascos, ou mulheres, enfiando-a aos quarteirões em varetas, dispõem-na em costais para embarque. É no cais que se vende o peixe em lotas, quando chegam as pequenas canoas das caçadas, com sessenta aparelhos de oitenta braças iscados a sardinha e as canoas maiores de duas velas, tripuladas por dez a dezoito homens que vão pescar até S. Vicente com o espinel, cabo da grossura dum dedo, chamado manoio, com perto de dois mil anzóis. E é aqui também, na agitação da baixa-mar, que eu anoto os nomes das diferentes redes e dos diferentes peixes: a murjona, o tapa-esteiros, que apanha o peixe no rio à maneira que a água vai vazando, a toneira para os chocos e as lulas, a redinha e o tresmalho, e outras engenhocas do subtil pescador, que chega a agarrar o langueirão com um botão de ceroula e alguns alfinetes e o polvo com velhos alcatruzes de nora. Tudo vem ter ao cais — peixes esplêndidos de uma abundância e de uma variedade extraordinária — do rio o linguado, o pregado, o peixe-rei, o charroco, os capitões, os alcabrozes, os robalos, etc., uns pescados à fisga, como a liça, a safata, o robalo, outros ao anzol e ao candeio; e do mar, despejados nas linguetas, montes de cações, de galhudos, que têm um pique no cerro, de monstruosas raias, de donzelas, de albufares pardacentos e enormes e de feios dentulhos. Atiram do fundo do barco para as pedras a abrótea, bandos de vermelhos e lindos cantarilhos, que parecem peixes de aquário, chaputas dum negro prateado com o rabo aberto como as pontas da cauda da andorinha, esguias tintureiras, corvinas e cestos de polvos enrodilhados. É uma magnificência. Paro com assombro diante do monstruoso tamboril, só boca, com uma boca maior que um açafate, e que usa para atrair a presa duas linhas na cabeça com uma isca na extremidade. Já cheiro a peixe e a salmoura e não me canso. Outra canoa chega. Venham assistir à lota! O pregoeiro no meio do grupo parte sempre — costume que começa em Sesimbra — de uma quantia alta para ir descendo até encontrar comprador. E também — já se fica sabendo — quando fala, por exemplo, em oitenta e seis mil réis, são três mil réis a menos.

— Todos estes peixes juntos 86 mil réis. — E rapidamente:
— 85, 84, 83 ...
— Três peixes cada um por 5 mil réis ... 4900 ... 4800 ...

— Chut! — diz um dos grupos. É o sinal de que está arrematado.

Mas a abundância e a riqueza, a fartura, é a sardinha. Foi inesgotável, foi compacta, tanta que noites inteiras e seguidas ninguém em Olhão podia dormir. E dizia-se: — Houve hoje grande matação de peixe. — Há aqui duas qualidades: a do sueste, que vem em Abril e arranca aos cardumes da costa de Marrocos; e o peixe do sudoeste, maior, mais gordo e menos saboroso, isto sem contar com a sardinha de passagem, que aparece em Janeiro quando desova. — Já lá anda perdida ... — dizem os pescadores ... Morde-lhe a ova. — Morde talvez, talvez a sardinha arraste a barriga na areia para tornar a pele mais fina, facilitando a saída da ova, porque chega nessa época até três braças de altura. Na Páscoa também é certa. Vai correndo por esse mar o cardume, da sardinha, e os barcos, as toninhas, os homens e os peixes, vorazes, uns na cauda, outros na cabeça daquele formidável rolo prateado, cevam-se de dia e de noite, pescando sempre, apanhando sempre, destruindo sempre, sem o extinguirem.

É do cais que larga a sacada com que os pescadores há uns anos procuram desforrar-se dos grandes industriais da pesca. A sardinha é atraída com engodo e fogachos e a rede puxada do fundo para cima. E ao fim da tarde é daqui também que partem os vapores do cerco com as redes — quarenta cabos de rede, com uma parte central, a copejada. Chamam-se calões os cabos extremos desta rede tão fina que parece a que as mulheres usam para segurar o cabelo.

A sardinha vem a terra todas as tardes e retira pela manhã. Se há luar, desaparece. Os vapores navegam com as luzes apagadas no silêncio entorpecido destas noites de Verão, em que as estrelas se reflectem na água como faúlhas de lume e a via láctea desdobrada ilumina ao mesmo tempo o céu e o mar duma vaga brancura. Um ou outro fantasma de vapor passa por nós e some-se. O mestre Fadagulha, concentrado, espera ... A bordo não se respira, e dir-se-ia que os outros barcos andam também na ponta dos pés. Silêncio e estrelas, cada vez mais estrelas. E sempre este movimento que sinto debaixo dos pés e este negrume que me envolve em círculos concêntricos, à medida que o barco se desloca, sob o céu que aproxima e que sinto arfar. Toda a tripulação está atenta, desde os criados, os proeiros, até ao pedreiro e ao mestre, que são as pessoas importantes de bordo. O mestre não é apenas um observador — é um bruxo. Para largar a rede é preciso saber não só onde está o peixe — e o mestre adivinha o cardume — mas calcular de antemão a qualidade e a quantidade de sardinha que se vai tirar no lanço porque não vale a pena fazer a manobra por uma pequena porção.

— Quantos barcos, mestre?

E ele responde logo:

— Dois, quatro, cinco ...

Há em Olhão alguns mestres extraordinários: o mestre Manuel Gomes, José Coelho, o José Farroba, etc., que afinaram a observação e os nervos até ao golpe de vista preciso e exacto, à intuição rápida e infalível. Mestre Fadagulha é um velho curvado e seco, que conhece o mar como as suas mãos. Tem já um filho para o substituir, mas diz: — É bom, mas as sardinhas ainda não o conhecem como a mim. — Se o mestre sabe onde está o peixe, o *pedreiro* sabe onde estão as pedras. Com uma rede tão cara e tão fina, uma pedra inesperada é a ruína. A rede há-de ser lançada em sítio limpo.

— Posso largar aqui? — pergunta-lhe sempre o mestre antes do lanço.

Ele tem a sonda, mas *pedreiro* que se preze raro a usa. Muitos nem saem do porão: olham o céu pela escotilha e a posição das estrelas: — Largue ... — Ou dizem: — Mais ao norte ... — É certo que o mar de Olhão até às sete braças é limpo, das sete às catorze sujo, e depois outra vez sem pedras. Mas há a contar com os calhaus isolados, que só quem foi criado na costa desde pequeno, como os *pedreiros,* e a conhece a palmos, tendo pescado toda a vida à linha, sabe onde ficam.

Noite cada vez mais escura, silêncio cada vez maior. Fervilham as estrelas no céu, isoladas ou aos grupos, com buracos de escuridão profunda no alto, que fazem sobressair as jóias mais puras. Uma coisa indistinta boia ali à superfície, que não sei se é fosforescência, se reflexo da via látea ... Escuro — mais escuro, e depois outra vez ascendendo do mar uma claridade vaga como um bafo que se dissolve. E sempre este ar salgado, esta exalação das águas que me deitam a respiração à cara. Começo a perceber no mestre, curvado e calado ao pé de mim, uma grande excitação. Fala baixo:

— Cá está a brancura! Cá está a brancura da sardinha!... Bate lá!

A seu lado um homem bate com um malho numa tábua, e este ruído faz estremecer e reluzir o cardume na profundidade das águas. O barco roda. O silêncio aumenta. Aqui, acolá, no negrume, ouve-se o mesmo bater compassado a bordo de outros vapores que deslizam na noite como sombras.

— Bate lá!

E não despega os olhos do mar em busca da ardentia. São dez horas. O mestre imobilizou-se, petrificado ... Entre ele e o banco do peixe estabelece-se uma comunicação magnética: durante alguns momentos é um adivinho, sob uma excitação nervosa extraordinária.

— Bate lá ... bate lá!... Isto deve andar por perto.

Pressente-a. Vai-lhe já no rasto. E começa a falar sozinho — mais alto — mais baixo — ao acaso:

— Ela está aqui ... ela não está longe. Não, não é esta ... Isto é, quando muito, um barco ... Bate lá! Bate lá!...

O bruxo interroga a noite, o silêncio e o mar. A excitação aumenta:

— Mais ao norte! — berra —, mais ao norte, estas são pequenas! Proa ao norte! Bate lá ... Aqui é que elas estão! Pois não deviam de estar! São elas ...

— Quantos barcos, mestre Fadagulha?

Mas nesses momentos não gosta que o interrompam e responde com modo brusco:

— Quatro barcos, senhor; devem ser quatro barcos. Cá estão elas, eu não o dizia! Cá estão elas! — E num grito de triunfo: — Rede ao mar! Venha a chata!

A rede é lançada ao mar e fixa pela chata. Toda a excitação do mestre desapareceu de repente. Toma o leme e brada ao maquinista:

— Toda a força à máquina.

Trata-se agora de envolver rapidamente o cardume da sardinha e ouve-se o vozeirão no escuro, repetir:

— Toda a força! Toda a força!

E o vapor desliza fechando o círculo. Aqui e ali, lá para o fundo, sob o rodilhão das estrelas, repete-se a mesma manobra; aqui e ali, mais perto, mais longe e apagado, ouve-se o bater compassado dos malhos que fazem vibrar e reluzir os cardumes no fundo da água e os mesmos gritos de comando: — Mais ao norte; Mais ao sul! Larga a chata!

De novo interrogo o mestre:

— Quantos barcos?

— Quatro barcos, senhor, devem ser quatro barcos — responde com a maior serenidade.

Ele não só pressentiu a sardinha: soube também se era grande ou pequena e quantos barcos, mais xalavara, menos xalavara, estavam dentro da rede. A manobra executa-se rapidamente e a companha trata de apanhar o peixe, puxando as chumbadas e colhendo--as do fundo até se unirem no ponto onde o círculo se fechou. Resta meter o peixe para dentro das cavernas: são efectivamente quatro barcos de peixe.

Pela manhã, à luz da madrugada, na frescura que se exala da primeira claridade e do hálito do mar misturados, faz-se o lanço da sorte. É o último e ao acaso, mas sempre para o lado donde se conta que venha a sardinha. O mestre descobre-se, e com ele toda a companha, e diz, com solenidade:

— Em nome de Deus e do altar, esta rede ao mar!

Antigamente o produto da pesca dividia-se em partes iguais por todos os homens das canoas, incluindo o arrais, e o Senhor dos Passos não era esquecido nos lucros, ganhando também o seu quinhão. Com os aparelhos de pesca mais complicados, tira-se do monte comum um certo número de partes para o barco, que representa uma personalidade, e outras para o aparelho, para a companha, para o Compromisso Marítimo e para a gente nova no serviço que vai a merecer. A parte do mestre chama-se a parte do corpo e a parte do governo. No cerco americano ou nas artes valencianas, os homens têm um salário mínimo de oito tostões por dia e uma percentagem sobre a pesca, que no cerco vai até quinze por cento. Além disto, distribuem-se dois xalavares para cada três homens, peixe do rancho, que lhes dá para comer e para vender. E sobre tudo há a furtança, que é uma instituição. Ninguém o ignora. Eles próprios o dizem. Sabem-no os patrões: o peixe é tanto e dá tanto dinheiro que fecham os olhos. A tarrafia, isto é, o logro, é corrente e de todos os dias. A furtança é geral. Roubam os homens, que escondem o peixe nos cestos, nos cantos do barco, onde podem. Roubam as mulheres e os rapazes. E até gente de certa categoria o furtava nas ruas. Era talvez por isso que o Tarraço, homem do campo, avarento, dizia: — Esta gente do mar nasce roubando e morre pedindo.

Tarde. Olho pela última vez a brancura imaculada dos terraços com o céu todo de oiro em cima e deixo com saudade esta luz e esta terra embruxada.

— Teria aqui uma casa numa das vielas fedorentas mais escusas. Para o exterior um muro sem uma janela, um muro velho, com um postigo mais velho ainda para entrar. Aberta a porta, seria um deslumbramento: no pátio caiado, só luz e folhas gordas, da variedade dos cactos que dão flor vermelha, humedecidas de água sempre a escorrer. Teria duas escravas para me servirem frutos translúcidos acabados de apanhar. Teria um barco para o contrabando nos mercados de Gibraltar e de Marrocos, satisfazendo assim os meus velhos instintos de pirata. E de noite, a este luar que tem não sei o quê de mulher, de pele de mulher, de seios duros e brancos de mulher, dormiria na açoteia sob as estrelas, grandes como fogachos.

Era viver num meio adormecimento, seduzido pela luz, fora de todos os interesses e realidades, em Portugal e no Sonho ...

J Ú L I O   D I N I S

(1839-1871)

De uma família respeitável, enraizada na província do litoral dúrio-beirão, entre Douro e Vouga, Joaquim Guilherme Gomes Coelho nasceu em Ovar. Uma avó britânica, de apelido Poter, trouxe certamente à casa paterna do escritor um matiz de vida inglesado, que se reflecte porventura na poetização da vida patriarcal portuguesa, pintada aliás nos romances de Júlio Dinis com um casticismo indefectível e uma observação minuciosa e original.

Feitos os seus estudos médicos, com distinção, entrou para o magistério da Escola Médico-Cirúrgica do Porto como «demonstrador». Mas a sua fragilidade física cedo o desviou da profissão. O seu temperamento grave favorecia uma vida sedentária, toda consagrada ao estudo e às doçuras familiares. Formado na leitura do romance inglês (cita Fielding e Dickens) e das novelas históricas de Herculano, Joaquim Guilherme Gomes Coelho, rapaz recatado e tímido, começou a escrever sob um pseudónimo feminino — Diana de Aveleda — pequenas narrativas ingénuas, como os Novelos da Tia Filomena e O Espólio do Senhor Cipriano, cujo título em volume (Serões da Província) poderia rubricar, tão bem ou melhor do que o subtítulo escolhido para os seus três romances campesinos (Crónica da Aldeia) toda a sua obra novelística.

Com efeito, o romance de Júlio Dinis (pseudónimo que acabou por vencer o nome civil do escritor) pode considerar-se como uma longa narrativa seroada, lenta e sem sobressaltos, que vai desde os amores bucólicos das duas Pupilas do Senhor Reitor com os filhos do José das Dornas, ao idílio do estouvado filho de Uma Família Inglesa com a angélica filha do seu velho e castiço guarda-livros. A obra de Júlio Dinis documenta uma concepção idílica e burguesa da vida. Romântico pela época e pelos materiais com que é feito, o romance de Júlio Dinis é, sob o aspecto moral, um antídoto contra o romantismo. Parte de uma visão positiva da existência — arbitrária, é certo, na escolha de caracteres absoluta-

9

mente bons e de situações providencialmente favoráveis aos desfechos felizes, mas real na pintura do quotidiano, na motivação do pormenor, em certa coerência interna do círculo de relações entre as personagens.

Ao contrário de Camilo, que opõe a um mundo de amorosos fatais e de mulheres angelizadas um meio de burgueses sistematicamente sórdidos e ridículos, Júlio Dinis suaviza toda a extensão da sua intriga e da sua figuração novelística, deixando todavia ao acontecer e às personagens uma verosimilhança amável, uma naturalidade suave e proba.

As Pupilas do Senhor Reitor, à parte o pequeno prodígio do duplo casamento dos filhos do lavrador abastado com as órfãs do Meadas, toda a intriga se desenvolve solidamente, com uma tipificação abundante e bem distribuída: o Reitor generoso e desvelado; José das Dornas, pacato e suspicaz; a admirável figura de João Semana, o médico de aldeia; os caracteres bem marcados de Daniel e de Pedro, de Clara e de Margarida; a comparsaria concentrada na casa e na tenda do João da Esquina. Diálogos, cenas, sucessos, tudo se desdobra naturalmente. A própria atmosfera «cor-de-rosa», típica de Júlio Dinis, é atenuada nesta sua obra-prima pelo sério conflito entre os irmãos rivais e pela sinceridade de tratamento que o romancista dá às personagens «resistentes» do livro: a José das Dornas, ao próprio Reitor.

Já A Morgadinha dos Canaviais é obra menos sólida. O admirável lançamento da intriga — um valetudinário alfacinha, Henrique de Souselas, que se vai curar ao campo e bate ao portão de uma quinta minhota, deparando com uma tia que vive fraternalmente com uma criada velha — é afrouxado no decorrer do livro pela preocupação de explorar o equívoco de Henrique de Souselas em aspirar a Madalena — a Morgadinha —, noiva afinal talhada para o professor primário — Augusto —, quando a felicidade de Henrique está nas mãos de Cristina. É um pouco o imbróglio das Pupilas: Daniel insiste em perseguir Clara, a noiva do irmão, quando a sua metade natural é Guida.

Mas o que diminui um pouco A Morgadinha é principalmente essa espécie de romantismo negro que cerca as figuras do tio Vicente ervanário, do Herodes e de Ermelinda, e a difusão, o derrame das contracenas entre Madalena, Henrique, Cristina e Augusto. Respira-se no livro uma atmosfera moral um pouco fastidiosa, demasiado fabricada. Mas o aspecto documental da Morgadinha é importante. Historicamente, estamos em presença do romance do Constitucionalismo triunfante pelo fomento, a que a província portuguesa oferece resistências. As eleições e a política dos cemitérios e das estradas documentam-se ali.

Uma Família Inglesa parece disputar às Pupilas o primeiro lugar entre as obras de Júlio Dinis, senão em sedução e unidade absoluta, ao menos em solidez construtiva e em âmbito. As suas figuras femininas, embora, como sempre, edulcoradas, são de um desenho firme e fino. Jenny é uma autêntica senhora da colónia inglesa do Porto; Cecília, uma «tripeirinha». Carlos, um pouco duplicado do Henrique da Morgadinha, e até do Daniel das Pupilas, está bem caracterizado. Manuel Quintino, o velho guarda-livros dos Whiteston, é um genuíno representante da rija burguesia do Porto. Uma Família Inglesa é o romance da cidade do trabalho, do casticismo nortenho, das virtudes médias.

Mais fraco do que os outros romances do autor, Os Fidalgos da Casa Mourisca ressente-se talvez do esgotamento dos temas do romancista, coincidindo com o seu esgotamento físico. Minado pela tuberculose, e escrevendo sempre, Júlio Dinis não pôde renovar os seus pontos de vista e os seus processos. Nos Fidalgos tenta mais uma vez essa comovedora e um pouco pueril «harmonia social» que consiste em reconciliar as classes, acasalando-as. Se nos casamentos das Pupilas não há senão uma diferença de patrimónios a nivelar entre as Meadas e os Dornas, na Morgadinha o humilde professor de aldeia casa com a filha do Conselheiro de Estado; na Família Inglesa o filho do patrão recebe a filha do modesto guarda-livros; finalmente nos Fidalgos, Jorge, o filho de D. Luís, grande senhor arruinado, casa com a filha do Tomé da Póvoa, lavrador abastado e previdente.

Apesar da candura com que traça os esquemas dos seus romances e com que formula neles os problemas humanos do seu tempo e da sua terra, Júlio Dinis move-se no seu mundo cor-de-rosa com uma bonomia admirável, um instinto psicológico subtil e seguro, e sobretudo com um gosto de viver que enche de saúde os seus livros. O recato de poeta com que trata as mulheres e a gente nova, o respeito de que cerca os velhos, a fé que põe na vida, fazem dele um moralista sincero e tónico.

Ninguém melhor do que Júlio Dinis compreendeu a mediania portuguesa, a província bucólica e pacata, a aldeia das quatro estações. Os seus livros lisonjeiam a sensibilidade portuguesa porque a reflectem. Daí as suas tiragens sucessivas, o seu êxito no cinema e na opereta.

[UMA ALDEIA DO MINHO]

Ao cair de uma tarde de Dezembro, de sincero e genuíno Dezembro, chuvoso, frio, açoutado do sul e sem contrafeitos sorrisos de Primavera, subiam dois viandantes a encosta de um monte por a estreita e sinuosa vereda, que pretensiosamente gozava das honras de estrada, à falta de competidora, em que melhor coubessem.

Era nos extremos do Minho e onde esta risonha e feracíssima província começa já a ressentir-se, senão ainda nos vales e planuras, nos visos dos outeiros pelo menos, da vizinhança de sua irmã, a alpestre e severa Trás-os-Montes.

O sítio, naquele ponto, tinha o aspecto solitário, melancólico, e, nessa tarde, quase sinistro. Dali a qualquer povoação importante, e com nome em carta corográfica, estendiam-se milhas de pouco transitáveis caminhos. Vestígios de existência humana raro se encontravam. Só de longe em longe, a choça do pegureiro ou a cabana do rachador, mas estas tão ermas e desamparadas, que mais entristeciam do que a absoluta solidão.

Não se moviam em perfeita igualdade de condições os dois viandantes, que dissemos.

Um, o mais moço e pela aparência o de mais grada posição social, era transportado num pouco escultural, mas possante muar,

133

de inquietas orelhas, músculos de mármore e articulações fiéis; o outro seguia a pé, ao lado dele, competindo, nas grandes passadas que devoravam o caminho, com a quadrupedante alimária, cujos brios, além disso, excitava por estímulos menos brandos do que os da simples e nobre emulação.

Contra o que seria plausível esperar deste desigual processo de transporte, dos dois o menos extenuado e impaciente com as longuras e fadigas da jornada não se pode dizer que fosse o cavaleiro.

A postura de abatimento que lhe tomara o corpo, o olhar melancólico, fito nas orelhas do macho, a indiferença, a taciturnidade ou o manifesto mau humor, que nem as belezas e acidentes da paisagem natural conseguiam já desvanecer, o obstinado silêncio que apenas de quando em quando interrompia com uma frase curta mas enérgica, com uma pergunta impaciente sobre o termo da jornada, contrastavam com a viveza de gestos e desempenado jogo de membros do pedreste, com a sua torrencial verbosidade, a que não opunha diques, e com as joviais cantigas e minuciosas informações a respeito de tudo, por meio das quais se encarregava de entreter e ao mesmo tempo instruir o seu sorumbático companheiro.

Explica-se bem esta diferença, dizendo que o cavaleiro era um elegante rapaz de Lisboa, que fazia então a sua primeira jornada, e o outro um almocreve de profissão.
... ...
Henrique (...) ao chegar à almejada inflexão e quando esperava principiar enfim a descer para o vale e aproximar-se da aldeia, viu que o macho, prático no caminho, e à disposição de cujo instinto ele colocara a razão, dobrava ainda para a direita e continuava a contornear e a subir o monte. A espiral não terminara ainda. Henrique olhou em torno de si, profundou a vista nas sombras do vale, nada pôde descobrir que lhe prometesse a aldeia procurada. Muita árvore, povoação nenhuma!

Teve um paroxismo de impaciência.

— Isto não é estrada! — exclamou ele, exasperado. — São os nove círculos do inferno de Dante virados para fora.

E a luz do dia a fugir cada vez mais, e a chuva a aumentar, a calar através do grosso gabão de jornada que Henrique vestia! O desgraçado vergava sob o peso da sua consternação.

Ajuntou-se-lhe outra vez o almocreve, assobiando com fleuma desesperadora.

— Com um milhão de demónios! — bradou-lhe Henrique, não podendo conter-se. — Essa maldita terra foge diante de nós, homem!

— Estamos quase lá, meu patrão. É ali logo adiante — respondeu o almocreve, sem se alterar. — Vê aquela capelinha branca em cima daquele monte? pois fica já para além da povoação. É a ermida da Senhora da Saúde. É um instante.

— Desde as duas horas da tarde que me dizes que é um instante, e eu estou acreditando que cada vez nos afastamos mais. Pois se a aldeia fica ali em baixo, para que diabo subimos nós? Às voltas que temos dado, estou persuadido de que vamos tão adiantados como quando principiámos a subir.

— Pois olha que dúvida! Se se fosse a direito lá por baixo, era mais perto, mas ...

— Mas foi então pelo prazer de trepar que me trouxeste por aqui?

— Não é isso, patrão; mas bem vê vossa senhoria que o caminho lá por baixo é todo cortado por quintas e campos, e é preciso dar tais voltas, que afinal fica mais longe. Depois, com a chuva que tem caído, faz lá ideia de como estão os riachos por lá! Só o esteiro do almargeal é para uma pessoa se afogar. Mas tenha o patrão paciência, que pouco falta agora. Vê V. S.ª aquele tronco de sobreiro que parece, visto daqui, um frade de capuz?

— É ali?

— Não, senhor — disse o homem, rindo — mas vêem-se daquele sítio as primeiras casas da aldeia.

— As primeiras! — murmurou Henrique em tom lastimoso, e

penderam-lhe os braços com mais desalento e aumentou-se-lhe a flexão da coluna vertebral.

O almocreve prosseguiu para o distrair:

— Tenho passado por estes sítios muita vez com neve de se cortar à faca, e de noite. E olhe que nunca tive medo. Qual história! Medo? Isso sim! E vamos lá! o sítio não é dos mais seguros. Vê o senhor essa cruz preta, aí à sua mão direita, pregada no tronco desse pinheiro? Pois aí mesmo mataram um homem que vinha com uns centos de mil réis da feira franca de Viseu, fez pelo S. Miguel um ano. E ainda hoje se está para saber quem foi. Num ermo destes só os santos podem valer a uma criatura.

Henrique sentiu-se pouco à vontade com as elucidações do cicerone; olhou para ele com desconfiança e quase julgou ver moverem-se sombras suspeitas por entre os troncos dos pinheiros. Apalpou nos coldres os cabos das pistolas, e aproximou as esporas dos ilhais da cavalgadura.

Dentro em pouco atingiam o indicado tronco de sobreiro, junto do qual deviam avistar a aldeia.

Henrique olhou; viu lá no fundo do vale muitas árvores, mas continuou a não enxergar vestígios de casas.

— Onde está a aldeia que dizias, homem?

— Daí já se vê — disse o almocreve, correndo para alcançar o cavaleiro. — Não vê V. S.ª, além, além, aqueles pinheirais mansos?

— Vejo, sim.

— Pois já são da freguesia. Se fosse mais claro, havia de avistar a casa do guarda. É a tapada dos Bajuncos, que pertence à morgadinha dos Canaviais.

Henrique não respondeu. A distância a que ficava ainda a tal tapada fê-lo suspirar.

Enfim, passados minutos, principiaram a descer para o vale, costeando sempre obliquamente o monte.

Cem passos andados, fez-lhe o almocreve notar um pequeno ponto branco, que se divisava ao longe por entre a rama do

arvoredo, mas já indistintamente, em virtude do adiantado da hora
e da intensidade da neblina.

— Lá está a capela da freguesia — dizia o homem.

— Ali? É um século para lá chegar!

— Qual! Estamos aqui, estamos lá. Eh ruço!

E aplicou uma vigorosa vergastada nas ancas do macho, que
acelerou o passo.

O homem continuou:

— Até, se fosse mais dia, podia-se ver daqui a pedra, que está
no cemitério novo, e que é da família da morgadinha dos Canaviais.
Foi a mãe dela a primeira pessoa que lá se enterrou, e até
hoje mais ninguém. O povo, como o outro que diz, tem sua
aquela em se enterrar fora da igreja. Ele, a falar a verdade ...
Eu bem sei que tudo vai do costume ... mas enfim a gente foi
criada nisto ... Mas a pedra é coisa asseada. É como as que estão na
cidade.

Henrique, transido de frio, quebrado de desalento, já nem aten-
dia ao que o homem ia dizendo.

Cerrara-se a noite de todo, quando atingiram enfim o vale.
O terreno mudava agora de aspecto. Apareciam já, aqui e ali, alguns
indícios de cultura, anunciando a proximidade de um povoado.
Os caminhos estreitavam, internando-se no vale, e seguiam tortuosa-
mente por entre muros toscos de pedra ensossa, silvados e sebes
naturais. A chuva, que não cessara de cair, transformara estes
caminhos, onde o declive não dava escoamento às águas, em
charcos e tremedais.

Novos indícios da vizinhança da aldeia iam sucessivamente
aparecendo.

Aqui era uma manada de bois soltos, em direcção do curral,
guiados por uma criança de palhoça e pernas nuas, os quais paravam a olhar com aquela expressão de composta curiosidade, que
lhes é peculiar, para o recém-chegado visitante da aldeia. Não faltou
receio a Henrique, que supôs a estes bonacheirões quadrúpedes a

índole travessa e bravia dos touros, a cuja chegada tantas vezes fora assistir em Lisboa.

Mais adiante passava por eles uma fileira de carros a vergarem sob o peso do mato e atroando os ares com o chiar incómodo das rodas sob o eixo, incómodo para os ouvidos cidadãos de Henrique, cujos nervos se irritavam com ele, mas aparentemente agradabilíssimo para os condutores aldeãos, que ou dormiam ou cantavam com aquele acompanhamento.

Num e noutro ponto deparavam-se-lhe já algumas casas de tectos de colmo, de cujas inúmeras fendas saía um fumo espesso, que a atmosfera húmida mal deixava elevar nos ares. No olfacto desabituado de Henrique de Souzelas o cheiro resinoso e activo das pinhas e das agulhas secas dos pinheiros, queimadas no lar, produziam sensações muito longe de serem agradáveis.

Aumentava-se-lhe com tudo isto a funda melancolia que já lhe tomara o ânimo.

— Tantas fadigas para este resultado! — pensava ele. — Sair de Lisboa para me enterrar nesta aldeia escura e suja! Enganou-se o parvo do doutor. Cuidava que me salvava e matou-me. Eu morro por certo aqui. Deus lhe perdoe o homicídio.

Os caminhos sucediam-se aos caminhos, qual mais tortuosos e incómodo de trilhar; as curvas complicavam-se como as ruas de um labirinto. Aqui subiam; desciam mais além, para subir outra vez. Umas vezes caminhavam em terreno descoberto, outras penetravam em tão estreitas quelhas, apertadas entre paredes argilosas e húmidas e toldadas de ramos entrelaçados, que só o instinto do animal podia evitar-lhes os perigos. Ora soavam as patas do macho como em chão lajeado, ora amortecia-lhes o som um terreno que a chuva encharcava, e a água lamacenta vinha salpicar o rosto do cavaleiro.

As casas eram já frequentes, e algumas de menos humilde aparência.

Os cães, que, pelo timbre de voz, mostravam ser gigantes, ladravam raivosos por dentro dos portões ou de sobre os muros das quintas, ao ouvirem os passos da cavalgadura ou a voz do almocreve, que falava ou cantava sempre.

Outras vezes era um inarmónico grunhir suíno que acusava a vizinhança das cortes ou, partindo de um casebre rústico, o chorar das crianças, entremeado com os ralhos das mães e com as pragas dos chefes de família.

O almocreve não desistira das suas funções de cicerone, que somente interrompia para saudar alguns conhecidos seus, a cuja porta passavam.

— Estes campos e lameiros — ia dizendo — são da morgadinha dos Canaviais; andam arrendados a um compadre meu.

E exclamava para dentro de uma casa térrea, escassamente alumiada por uma candeia:

— Boas noites, tia Escolástica. Como vai a pequenada?

— Ai, é vossemecê, sr. José? Então não entra? — respondia-lhe uma voz feminina.

— Agora, não, amanhã.

E prosseguiu para Henrique:

— É uma santa criatura. A morgadinha ...

Henrique interrompeu-o:

— Onde fica, afinal, a quinta de Alvapenha? Onde mora minha tia? Não me dirás?

— É logo aí adiante, meu patrão. Em nós passando umas casas amarelas, que há aí ... é logo ao pé. Essas casas que digo são também da morgadinha, mas há uma demanda pelos modos.

O almocreve falava pela décima ou undécima vez na morgadinha. Até esta periódica referência a uma personagem que ele não conhecia impacientava Henrique de Souzelas.

E continuavam a suceder-se em enredado dédalo as quelhas e azinhagas, a ponto de fazer perder toda a orientação. Umas vezes ouviam o ruído das levadas, que as últimas chuvas tinham engrossado; adiante, transpunham uma ponte rústica, escutando das profundezas do despenhadeiro, que ela atravessava, o fragor das cascatas nos açudes ou o ranger das rodas dos moinhos.

Henrique a cada momento imaginava cair num abismo.

— São os açudes do Casal — dizia o almocreve, berrando para se fazer ouvir através do estrondo da torrente. — Pertencem à morgadinha dos Canaviais.

Henrique nem alento já tinha para falar.

Ao triste e quase sinistro aspecto daquela aldeia, tão cerrada lhe envolveu o coração a nuvem de melancolia, que cedeu sem resistência ao crescente torpor que o invadia, como o que desespera da vida e da salvação.

Mais adiante, excitou-lhe ainda as atenções uma toada plangente, melancólica, monótona, que exacerbou estes efeitos.

— É uma fiada em casa do Tapadas — disse o almocreve. — É um dos maiores amigos do pai da morgadinha. Vê aquele muro acolá?

— Eu não vejo nada. Deixa-me!

— Pois pertence já à quinta dos Canaviais, que a morgadinha ...

— Outra vez! Cala-te para aí com essa morgadinha — exclamou Henrique.

Era evidente enfim que estavam em pleno coração do povoado. As casas apareciam mais juntas. De algumas saía um surdo rumor de vozes que tinha o que quer que era de lúgubre. Era a coroa rezada em família a Nossa Senhora. A voz grave do lavrador casava-se com a voz quebrada e trémula do avô, com a voz sonora e fresca da mãe, e a juvenil das raparigas e crianças naquele piedoso coro, produzindo um efeito que acabou por levar ao auge a impaciência do nosso esplenético viajante.

— Sumiu-se essa endiabrada quinta de Alvapenha, que não a acabamos de atingir?

O almocreve desta vez nem respondeu; sacudiu uma chicotada sibilante junto às orelhas do muar, o qual com desusada rapidez galgou uma ladeira orlada de árvores, volveu à direita, e, à voz do almocreve, estacou em frente de um portão de quinta resguardado por um telheiro rústico.

— É aqui — disse o guia.

— Até que enfim! — exclamou Henrique suspirando. Suspiro de conforto e de tristeza ao mesmo tempo, como o do homem cansado da vida, quando antevê o repouso do túmulo. Em Henrique era íntima a convicção de que a quinta de Alvapenha lhe havia de servir de cemitério.

... ...

O almocreve assentou duas vigorosas pancadas no sólido portão de castanho, diante do qual tinham parado.

As primeiras vozes a responderem-lhe foram as de dois cães, que acudiram de longe ao sinal e vieram ladrar à porta, com fúria, o que fez agourar mal a Henrique da cordialidade da recepção que o esperava. De facto as intenções dos quadrúpedes não pareciam demasiado hospitaleiras. O almocreve divertia-se excitando-os de fora com uma vara de vime, apesar de quantas recomendações de prudência lhe fazia Henrique, não em demasia sossegado.

Afinal ouviu-se uma voz áspera e rouca, chamando os cães à ordem, se é lícito, sem irreverência, empregar neste caso a frase consagrada para outro género de algazarra.

Henrique ouviu rodar a chave, correr os ferrolhos, levantar a aldraba, gemerem os gonzos, e, enfim, um homem de lavoura, alto, magro, trazendo em punho um lampião de frouxíssima luz, apareceu-lhes à porta e saudou-os com a fórmula do estilo:

— Ora Nosso Senhor lhes dê muitas boas-noites.

E, levantando a luz à altura do rosto de Henrique, pôs-se a mirá-lo com a menos cerimoniosa curiosidade.

— É o sobrinho cá da senhora, não é verdade?

— Sou eu mesmo.

— Está um tempo muito azedo. Eu já julgava que não vinham. Entre.

Henrique não se resolvia a aceitar o convite, porque lhe continuavam a impor respeito os olhares ferinos e os rugidos surdos dos dois façanhosos quadrúpedes, cuja má vontade era a custo refreada.

— Entre, entre — insistia o homem.

— Mas esses animalejos?...

— Ah! isto não faz mal. Sai-te p'ra lá, Lobo; passa, Tirano! Lobo! Tirano! Que nomes! E dizia o homem que não faziam mal!

— C'os diabos! ti Manuel! — disse o almocreve — em ocasião de se esperarem hóspedes não se soltam assim os cães. Os diabos não são nenhuns cordeiros. Olhe no outro dia o sr. Joãozinho das Perdizes, que por pouco lhes deixava nos dentes as barrigas das pernas.

— Forte perca! — resmungou o outro. — Não trouxesse cá os dele. Não tem dúvida; entre o senhor, que eles não lhe fazem mal.

— Não entro; assim é que não entro — teimou Henrique, a quem as palavras do almocreve acabaram de fortificar na sua resolução.

O homem em vista disto encolheu os ombros e bradou:

— Ó Luís!

Uma criança de cinco anos, e quase nua, correu ao chamamento.

— Enxota para lá esses cães, que aqui o senhor tem medo.

A criança, à palavra medo, fitou Henrique com uns olhos espantados, e tomando do chão um tronco de tojo, deu-se a zurzir desapiedadamente nas feras, que, com todos os sinais de respeito, de orelha baixa e cauda abatida, fugiram diante dela.

O orgulho de Henrique de Souzelas ficou um tanto maltratado com o desfecho da cena; mas a prudência consolava-o, dizendo que andara ajuizadamente.

— Agora vossemecê — disse o camponês para o almocreve — arranje-se como puder e mais a besta aí pelas lojas, enquanto eu ensino o caminho ao senhor.

142

— Vão, vão com Nossa Senhora, que eu cá me arranjarei. Muito boas noites, sr. Henriquinho.

— Adeus, José — disse Henrique, passando para a mão do guia a espórtula da gorjeta, e após seguiu, com pernas trôpegas de cavalgar, o homem do lampião.

Não era para dissipar a impressão penosa, que subjugava o espírito de Henrique, o aspecto que lhe oferecia, àquela hora da noite, a parte da quinta, por onde era conduzido paara a casa de Alvapenha.

Primeiro, trilhou o pavimento mole de um quinteiro ou eido, estradado de altas camadas de mato e embebido de chuva, donde se exalava um cheiro de curtumes, pouco de lisonjear o olfacto mal habituado a estes aromas campesinos. A luz do lampeão a custo conseguiu evitar a Henrique o tropeçar num carro desaparelhado, numa dorna, numa pia para galinhas, e em outros objectos que atrancavam o quinteiro. Transpondo a cancela que terminava este, seguiram por uma rua de folhas; atravessaram diagonalmente a horta, pelo carreiro que a dividia; ladearam a eira e a casa do cabanal, e, efectuados mais alguns rodeios, acharam-se finalmente junto da escadaria de pedra, por onde se subia para uma espécie de patamar ou varanda alpendrada, que servia de um modesto pórtico à casa de Alvapenha.

A propriedade da tia de Henrique era um genuíno tipo de casa rústica, à moda do Minho.

Ao subir as escadas, e apesar de mal poder divisar os objectos à escassa luz que os alumiava, recebeu Henrique a primeira impressão agradável de toda aquela mal estreada excursão.

Estas escadas, esta varanda de pedra e este alpedre avivaram nele memórias, quase apagadas. Lembrava-se agora vagamente de ter brincado ali, a cavalo nesse mesmo parapeito, então, como agora, enfeitado de uma formidável coorte de abóboras-meninas, vítimas votadas às festas do próximo Natal.

A um canto do patamar deparou-se-lhe ainda um grande vaso

143

de louça, que ele, havia vinte e tantos anos, conhecera, e ao qual tinha a ideia vaga de haver quebrado uma asa; abaixou-se no intento de se certificar, e viu que de facto ainda lhe faltava a asa, sendo este o único estrago que após tanto tempo o velho utensílio sofrera.

— É admirável! — não pôde deixar de exclamar Henrique ao fazer a descoberta, vendo que em oito dias se operava maior reforma nos seus aposentos em Lisboa, do que num quarto de século se realizava em Alvapenha.

O hortelão bateu à porta e disse para dentro que era o sobrinho da senhora que chegava.

Seguiu-se um mexer de cadeiras, um trocar de vozes, um arrastar de passos; moveu-se a chave na fechadura; abriram-se as portas e no limiar apareceu de braços abertos a tia Dorotéia, e por trás dela, elevando a luz acima do ombro da ama, a criada Maria de Jesus, a que, havia trinta anos, lhe era companheira e interessada em lágrimas e pesares. Já Henrique lhe andara ao colo no tempo em que estivera criança na quinta.

Diante da figura esbelta, do tipo varonil e do comprido bigode de Henrique, a sr.ª Dorotéia reprimiu as suas expansões e quase recuou.

Nunca mais vira Henrique desde que este, aos cinco anos, deixara Alvapenha, e dir-se-ia que esperava ainda encontrar os mesmos cabelos louros e anelados e o mesmo rosto menineiro da travessa criança de outros tempos, em vez do homem feito, em que vinte e tantos anos volvidos o tinham transformado.

Há destas ilusões na gente.

A mais segura razão não está precavida contra elas; a infundada surpesa invade-nos de súbito, e os lábios não podem prender a exclamação que a denuncia.

— Pois na verdade tu és o Henriquinho?! — disse espantada a boa senhora.

— Eu julgo que sim, tia Dorotéia.

— Tu! Ai como estás um homem! Ó Maria de Jesus, você não quer ver isto!?

— Parece mesmo um soldado! — disse a criada, igualmente estupefacta.

— Credo, mulher, Santíssima Trindade! Você que está a dizer? Nossa Senhora nos livre de tal! — exclamou a ama, em cujo conceito o soldado estabelecia a transição do homem para o diabo.

No entretanto Henrique de Souzelas abraçava a tia, que havia tanto tempo que não vira, e ela correspondia-lhe, beijando-o com todo o carinho e chorando.

Chorando por quê? Por quê? Pela muita bondade que tinha naquela alma. A bondade é um rico manancial, que brota lágrimas ao toque da menor comoção.

Henrique não tinha ainda bem conseguido libertar-se dos roxeados amplexos e mais provas de afecto de sua tia, quando se sentiu preso em novos laços. Era Maria de Jesus, que o abraçava também e lhe pespegava nas faces dois beijos muito chiados, como aqueles que vêm a ferver do coração, e isto acompanhado de um — Ai o meu rico filho — tão eloquente como os beijos.

Henrique, habituado às etiquetas da civilização urbana, que estabelece entre amos e criados distâncias desconhecidas na aldeia, estranhou um pouco a familiaridade, mas sujeitou-se a ela sem reflexões.

Maria de Jesus dizia ainda admirada:

— Ó senhora! Não que uma coisa assim! Pois é este o menino, que vinha à cozinha limpar o tacho, em que se fazia a marmelada!

— É verdade! E que boa marmelada cá se fazia!

— Lambareiro! — disse a tia, sorrindo. — Se eu soubesse que eras assim, não tinha mandado lavar o tacho do doce, que ainda hoje serviu.

— Sim? Então ainda se faz doce cá em casa, como dantes? — perguntou Henrique.

— Pois então? Todos os anos. Mas valha-me Deus! E não

querem ver nós aqui postas à palestra! Entra, menino, entra cá para dentro, que está frio e tu deves vir cansado.

— Um pouco, um pouco, tia Dorotéia.

E Henrique entrou para a sala.

Demoremo-nos no limiar para informar o leitor sobre as pessoas, em cuja casa se vai alojar com Henrique de Souzelas.

Não se imagina a santa paz de espírito, a placidez de paraíso, que estas duas mulheres — D. Dorotéia e Maria de Jesus, ama e criada — gozavam na quinta de Alvapenha, onde Henrique de Souzelas ia procurar alívio aos seus muitos e variados males.

Ambas da mesma idade, ambas muito aferradas aos seus hábitos, ambas muito tementes a Deus e amigas do próximo, as duas celibatárias passavam ali uma vida, rescendente a um suave perfume de santidade, como o da alfazema e do rosmaninho, que lhes aromatizava as gavetas e de que se repassava toda a roupa branca, objecto muito dos seus cuidados.

A inalterável harmonia, mantida havia tantos anos entre as duas, poderia ser exemplo à maior parte das famílias deste mundo. Entre velhas, que nunca tiveram filhos, circunstância que em geral faz o humor mais acre e desabrido, era tanto mais para admirar o caso.

Tinham elas porém a precisa tolerância para fazerem mútuas concessões; cada uma fechava os olhos aos pequenos caprichos da outra, e tudo corria bem. Nunca adentro daquelas paredes se ouvia uma só palavra, que, por mais alto pronunciada ou por menos expressiva de paciência, destoasse da invariável monotonia dos seus habituais diálogos.

Eram um exemplo edificante para os vizinhos, que, pela maior parte, devorados por demandas entre primos e irmãos, pais e filhos, marido e mulher, mostravam infelizmente ser esta abençoada semente caída em improdutivo terreno.

As discórdias intestinas nas famílias do seu conhecimento afligiam as duas sexagenárias e aumentavam o número de Padre-

-Nossos com que todas as noites se faziam lembrar dos santos, de quem eram validas, pedindo-lhes a felicidade dos outros tanto ou mais do que a sua própria.

Ouvir rezar as duas santas velhas — e era essa a ocupação dos seus curtos serões — equivalia a escutar uma resenha das diferentes calamidades, que perseguem a apoquentam o género humano, e que elas, desta maneira, pretendiam evitar.

— Um Padre-Nosso e uma Ave-Maria a S. Marçal, para que nos livre do fogo — dizia D. Dorotéia, e seguia-se o Padre-Nosso.

— Outro a Santa Luzia milagrosa, para que nos dê vista e claridade na alma e no corpo; outro a S. Brás, para que nos proteja da garganta; outro a S. Vicente, por causa das bexigas, etc. — Seguia-se um Padre-Nosso por todos que andam sobre as águas do mar; outro pelos pobres sem abrigo nem alimento; outro pelos órfãos; outro pelos doentes; um pelos vivos; outro pelos mortos; um pelos justos; outro pelas almas do purgatório, não hesitando até a sua caridade em transpor as portas do inferno e pedir também a remissão dos condenados. E ainda, depois desta minuciosa e longa enumeração, um último Padre-Nosso fechava a primeira série, compreendendo todos os não contemplados por esquecidos, ou por não terem lugar na classificação.

Compunha a segunda série a menção especial de cada uma das pessoas falecidas das suas relações: parentes, amigos e conhecidos, por cujo «eterno descanso entre os resplendores da luz perpétua» oravam com verdadeira compunção. Nesta falange ia também D. João VI, por quem, havia quarenta anos, se costumara a rezar D. Dorotéia, e não era ela mulher que rompesse com hábitos semi-seculares. Era esse talvez o único Padre-Nosso que a alma do monarca recebia no Céu, com procedência do seu antigo reino.

Quanto às qualidades físicas, a imaginação dos leitores pintar-lhes-á melhor do que a minha descrição. Forçosamente conheceram uma destas boas velhas, para quem nos sentimos atraídos; a quem se estima e com quem se brinca ao mesmo tempo; que nos podem inspirar sacrifícios e simultaneamente nos tentam à travessura; a quem mistificamos agora e logo beijamos respeitosamente a mão; contra quem não reprimimos impaciências, escutando depois submissos os seus nunca terminados sermões.

Ora estas velhas assim têm quase sempre um tipo uniforme, que é o reflexo exterior da bondade do coração; esse era o tipo da tia Dorotéia com o seu vestido roxo, o seu lenço castamente cruzado no peito, a sua touca de folhos alvíssimos e de fitas escuras, o molho de chaves à cinta, o livro de orações na algibeira e os óculos a marcarem no livro a reza habitual.

Maria de Jesus de igual maneira. Era apenas uma edição popular da mesma alma. Sucedera, de mais, com elas o que é sempre de esperar de uma longa é íntima convivência; haviam reciprocamente adoptado maneiras e modos de pensar e de ver e de dizer as coisas uma da outra, a ponto de qualquer delas ser como que uma premissa donde, a modo de conclusão, se deduzia a outra facilmente.

Tudo isto percebeu logo Henrique de Souzelas ao primeiro exame que fez das duas santas mulheres.

Entremos agora com ele para dentro da sala.

Quem, vinte anos antes, tivesse visitado a casa de Alvapenha e aí voltasse de novo com Henrique julgaria, à vista da uniforme disposição de coisas mantida ali dentro em tão distantes épocas, que todo esse tempo não fora mais do que um sonho de momentos.

Encontraria os mesmos móveis, na mesma colocação; as mesmas cobertas nos leitos, apenas mais desbotadas; as mesmas ou iguais cortinas nas janelas; o mesmo cheiro de feno e alfazema na atmosfera dos quartos; os mesmos quadros na parede, as mesmas jarras nas cómodas.

A memória de Henrique, aquela inconstante e leviana memória de rapaz estouvado, sentia-se acordar, à vista daquilo tudo.

A sala tinha uma fisionomia característica.

Suponha-se uma não muito ampla quadra de pouca altura, toda pintada a oca, e alumiada por duas mal rasgadas janelas de peitoril, com os seus competentes assentos de pedra, um defronte do outro, com meias cortinas de cambraia sempre corridas — pleonasmo de discrição que se não justificava, visto que as janelas, abrindo para a quinta, não tinham vizinhança de cujos olhares precisassem de recatar-se. O tecto era de almofadas de castanho, em tempos pintado de azul, agora de uma cor duvidosa. Havia quinze anos que D. Dorotéia falava em o mandar retocar, mas o projecto, momentoso como era, ia sendo adiado de Primavera em Primavera. Orlava a sala, no alto, um friso ou cornija saliente, onde coradas maçãs de Inverno aguardavam, em vistosa fileira, a completa maturação, e derramavam no aposento o mais agradável aroma. O pavimento, apesar de muito picado de caruncho, andava limpo e *escafunado* — termo do vocabulário de casa — que metia gosto vê-lo. Cada parede era um museu de estampas de devoção. Poucos santos e santas da corte celestial não estavam ali representados e com um colorido, que era o maior pecado, a que estes bem-aventurados haviam dado lugar cá no mundo.

Cá se via Santa Quitéria e as suas sete companheiras; Santa Ana ensinando nossa Senhora a ler; o Senhor dos Passos, venerado em S. João Novo, no Porto; o Bom Jesus de Bouças, representação da imagem, que, segundo reza a respectiva crónica, é obra das mãos de José de Nicodemos; os Santos Mártires de Marrocos, da igreja de S. Francisco, etc., etc. Sobre a cómoda de pau preto era devotadamente venerado o mais rubicundo, menineiro e bem disposto Santo António, que ainda modelaram as mãos de santeiro afamado. E seja dito de passagem que não sei por que a tradição popular dá a este austero franciscano o aspecto chorudo de um moderno reitor de farta abadia de aldeia.

No interior da redoma onde se abriga o santo, estava estabelecido o museu de raridades da tia Dorotéia. Eram flores artificiais, concharinhas e caramujos, um rosário de caroços de azeitonas, uns poucos de vinténs de prata, enfiados e pendentes do braço do menino Jesus, que o santo sustentava ao colo, verónicas, escapulários, uma campainha benta, uma medida do braço do Senhor de Matosinhos, um pão do saco de Santa Isabel, que vai na procissão de Cinza, no Porto, e outros objectos curiosos.

A mobília da sala consistia em cadeiras de palhinha, que gemiam quando entravam em serviço, como militar cujas articulações o reumatismo invadiu; meses cobertas com colchas de chita; baús cravados de pregaria amarela, disposta em letras e arabescos; uma papeleira de pau santo, e uma gaiola com um canário decrépito, objecto, havia muitos anos, das tentações de um gato, mais decrépito do que ele e pertencentes às classes inactivas.

Henrique, adivinhando por todo aquele cheiro de beatitude e de antiguidade que ali se respirava, os hábitos da casa, sentia já certo desconforto, como de quem é arrancado de súbito ao ambiente, em que se educou e vive, e engolfado num ambiente estranho; espécie de asfixia moral, não menos angustiosa do que a do peixe fora da água.

A saudade, que ao princípio sentira, dissipara-se já. O perfume da saudade é como o de certas flores, que só se percebe quando de longe o recebemos. Se, iludidos, as tentamos aspirar de perto, dissipa-se.

Acontecera isto com Henrique.

Cada vez, portanto, se lhe radicava mais funda a crença de que não seria por muito tempo que se demoraria ali.

— Os emolientes do doutor — pensava ele, enquanto sua tia falava — serão eficazes para quem os puder sofrer sem enjoo, mas para mim ...

No entanto sentou-se.

— Ora o Henriquinho! — dizia ainda D. Dorotéia, pondo-se de braços cruzados em contemplação defronte dele. — Ó menino, onde fuste tu arranjar esses bigodes tamanhos! Então isso agora usa-se?

Pergunta que sobremaneira embaraçou Henrique.

— Quem quer usar, usa, tia. Não é obrigação — respondeu ele, com leve mau humor.

— Em nome do Padre e do Filho! — dizia Maria de Jesus, benzendo-se e tomando lugar ao lado da ama. — Até nem sei que parece, lembrar-se a gente que trouxe este marmanjão ao colo!

O termo «marmanjão» não soou bem a Henrique. Principiava também a impacientar-se o ver as duas embasbacadas diante dele; um homem sujeito a uma exposição destas, por mais que faça, não atina com o modo de arrostar com ela, que não seja ridículo. Ora Henrique, como todo o homem da sociedade, o que mais que tudo temia neste mundo era o ridículo.

Felizmente acudiu-lhe a caridosa intervenção da tia Dorotéia, que fez perceber à criada a conveniência de ir preparando a ceia de Henrique, que havia de querer recolher-se. Henrique, apesar de não costumar cear, aceitou a ideia, porque o frio, as fadigas e a má alimentação dos últimos dias haviam-lhe desafiado o apetite. Demais, o espanto de D. Dorotéia, quando lhe ouviu dizer que as ceias não entravam nos seus hábitos, foi tal que lhe tirou o ânimo de rejeitar.

— Não ceias! Ó menino que me dizes? Então vais-te deitar sem ceia? Ora essa! Por isso vocês são uns peléns. Vejam lá que arranjo este! ficar toda a santa noite sem alguma coisa que dê sustento ao estômago, que aconchegue. Nada, nada; a ceinha em todo o caso. E tu hás-de também querer mudar de fato?

— Eu venho bastante molhado.

— Ai, então depressa, menino, que não há nada pior do que a roupa molhada no corpo. Ó Maria… ou deixe estar, eu vou… Anda, Henriquinho, anda lá, que eu guio-te ao teu quarto para te arranjares.

Meia hora depois, Henrique, banhado, enxugado e comodamente vestido, saboreava uma gorda galinha de canja, sobre uma mesa coberta de toalha lavada, e na melhor louça da copeira.

151

Ele, que tinha sempre severidades de crítica contra os mais afamados cozinheiros de Lisboa, estava achando deliciosa aquela comida primitiva, com que o regalava a tia.

Esta sentou-se a vê-lo comer, e com a mesma familiaridade, que Henrique já anteriormente estranhara, Maria de Jesus sentou-se ao lado da ama.

Ambas tinham ceado já, pois que o faziam ao cerrar da noite.

Enquanto Henrique comia, elas, sem deixar de o observar com a natural curiosidade de quem havia tanto tempo não tivera um hóspede, faziam-lhe perguntas, as quais ele ia respondendo conforme lhe era possível.

— Tu dizias-me na tua carta que estavas doente, pois olha que na cara não o parece.

— Não — concordou a criada — tem boas cores, e, vamos, a magreza inda não é la essas coisas.

Era este o ponto fraco de Henrique; respondeu logo ao reclamo.

— Não me digam isso! Então não vêem como estou? Pois isto é lá cor de saúde? de febre, será. Gordo! pois acham-me gordo?!

— Gordo, não digo, mas assim, assim ... E depois, como vieste de jornada ... Mas afinal que moléstia é a tua, menino?

— Eu sei lá, tia Dorotéia? Nem os médicos a conhecem. É, entre outras coisas, uma tristeza, uma melancolia, que me não deixa, que me persegue por toda a parte. Às vezes parece-me que sinto apertar-se dolorosamente o coração; outras, são palpitações, ânsias ... Tenho quase vontade de chorar, irrito-me, impaciento-me, não quero que me falem, nada quero ver, nada quero ouvir; não leio, não durmo, não como. Finalmente, todo cu sou doença e tristeza.

A boa tia Dorotéia olhava com sisudez e atenção para o sobrinho, enquanto ele falava, e na fisionomia iam-se-lhe desenhando, ao ouvi-lo, os mais expressivos sinais de espanto e consternação.

Assim que Henrique terminou a exposição, ela disse-lhe com uma adorável candura:

— Então é assim uma espécie de mania!

À palavra «mania» Henrique sobressaltou-se. Seria a consciência que se sentiu ferida?

— Mania! Ó tia Dorotéia! Mania! Veja bem, olhe que o termo é forte! Mania!

— Sim, menino — insistiu ingenuamente a boa senhora —, pois olha que não é outra coisa. Pois isto de estar triste sem ter de quê ... sim ... porque não te morrendo ninguém, nem te doendo nada ...

Ó poetas devaneadores, ó almas melancólicas, que percebeis no sussurrar das brisas, no ciciar das folhas, no murmurar dos arroios, queixas ocultas de dríades e de náiades, sentidas vibrações das harpas de fadas aéreas, que vivem em palácios de nuvens; ó corações inoculados de poesia, que vos confrangeis e gotejais lágrimas sinceras ao desmaiar do dia, ao desfolhar das árvores no Outono; poetas, que escutais, com Vítor Hugo, as vozes interiores, os cantos do crepúsculo, e com ele adivinhais os mistérios dos raios e das sombras, perdoai a involuntária blasfémia da tia-Dorotéia, que não contém o menor fermento de malícia; perdoai, -lhe a dura expressão de que ela se serviu para caracterizar os vossos arroubamentos, as vossas tristezas vagas, os vossos devaneios e crêde que, apesar da frase, teríeis nela uma alma mais afinada para simpatizar convosco, do que tantas que por aí fazem gala de vos compreender melhor.

Henrique não podia, porém, digerir a expressão de que se servira a tia, para diagnosticar o seu mal.

— Mania! — repetia ele — essa agora! Sempre é forte de mais. Mania, não, tia Dorotéia, lá isso não! Mania!

— Eu lhe digo — acudiu a criada. — Não vá sem resposta; que está quase como o cunhado da Rosa do Bacelo. A senhora não se lembra? Andou aquela alminha por aí sempre triste, sempre a falar só, até que afinal lá foi parar ...

— Aonde? — perguntou Henrique, erguendo os olhos interrogadoramente para a criada.

— Lá foi parar a Rilhafoles — concluiu esta, espevitando a vela o mais naturalmente deste mundo.

Henrique Souzelas pulou com a sinceridade.

Nem acabou de sorver a última colher de caldo de arroz, que lhe estava sabendo como nunca manjar lhe soubera.

— Então não comes mais? — perguntou a tia.

— Muito agradecido; eu o mais que tenho é sono.

— Pois sim, mas é preciso fazer por comer — insistiu ela.

— Ora vá mais este coxão — disse a criada.

— Não é possível — teimou Henrique, e insistiu para se recolher ao quarto.

— Tens razão, tens — concordou a tia Dorotéia —, deves estar fatigado. Vai com Nossa Senhora, menino. E deixa-te lá de pensar e estar triste, que isso não é bom. É fazer por espairecer. Come, bebe, passeia, que é o que dá saúde. Nada de malucar.

— Sim — acrescentou a criada — e não queira estar doente, que não tem graça nenhuma.

— E olha, Henriquinho, tu tens por aí com quem te podes distrair. O brasileiro Seabra, que tem uma casa como um palácio; o Augustito do doutor, que é um bom mocinho. E depois vai dar um passeio por aí, um dia até os moinhos, outro dia até à ermida da Senhora da Saúde. Agora me lembra: a Lenita já mandou aí outra vez saber se tinha chegado o hóspede — disse D. Dorotéia.

— Não foi só a morgadinha...

— Aí está você a chamar-lhe também a morgadinha.

— Então, senhora?! isto é o costume. Mas todas as outras senhoras mandaram também o Torcato saber do Sr. Henrique. A sr.ª D. Vitória e a Cristininha.

— Ai, pois cuidadosas são elas! Tu hás-de te entender com aquela gente. É uma gente muito dada e sem cerimónia. É preciso lá ir. Olha, amanhã podes ir visitá-las. É um passeio bonito.

Henrique, que tinha estado distraído durante a conversa das

duas, nem se dava ao trabalho de intervir no diálogo em que elas dispunham já do seu tempo e traçavam-lhe planos de vida.

— Mas vai descansar, menino, vai e faze por dormir. Olha lá, tu costumas dormir com luz?

— Não, tia, não costumo.

— É porque nesse caso ... Ó Maria, onde está aquela lamparina, que me serviu, quando eu estive doente, há seis anos?

— Está lá dentro, senhora; se a senhora quer, eu ...

— Vê lá, menino ...

— Não, tia, não quero.

— Há pessoas que não podem dormir às escuras — dizia a criada. — Eu, graças a Deus, durmo bem de qualquer forma.

— Pois sim, mas nem todos são como você. Olha, ó Henriquinho, hás-de ver se queres o travesseiro mais alto ou ...

— Muito agradecido, tia Dorotéia, tudo deve estar bom — disse Henrique, procurando fugir às muitas reflexões, perguntas e conselhos, com que as duas o iam perseguindo até o quarto.

— Olha, ó menino, tu bebes água de noite?

— Às vezes.

— Você pôs-lhe água no quarto, Maria?

— Pus, sim, minha senhora; pois então? Já minha mãezinha dizia, que antes sem luz do que sem água.

— Bem, então está bom. Então muito boa noite, menino.

— Boa noite, tia.

— Ai, é verdade. Hás-de ver se queres mais roupa na cama.

— Não hei-de querer, não, tia.

— Olha que está muito frio. Você quantos cobertores lhe deitou, ó Maria?

— Cinco, senhora.

— Cinco! — exclamou Henrique, quase horrorizado. — Cinco cobertores!

— É pouco?

— Pouco?! É de morrer esmagado debaixo deles.

— Ai, quer não! Olha que está muito frio.

— Bem, bem; eu cá me arranjarei.

— Então, muito boa noite.

— Muito boa noite, tia.

E Henrique ia a fechar a porta.

— Olha ... — disse ainda a tia.

Henrique parou.

— Não sei o que é que me esquece ...

— Não há-de ser nada, tia; boa noite.

— Não esquecerá?... Eu sei?... Enfim ... boa noite. Ai, é verdade... Sempre é bom ficar com lumes prontos.

— Ai, sim; lá isso sempre é bom.

— Vês? não, que bem me parecia.

— Já lá estão, senhora — disse a criada, de longe.

— Melhor; então, muito boa noite nos dê Nosso Senhor, menino.

— Muito boa noite, tia.

E Henrique conseguiu fechar a porta.

Estava finalmente só.

— Que desastrada lembrança a minha! — disse o pobre rapaz, ao fechar a porta sobre si. — Como posso eu viver com esta santa e virtuosa gente, que chama manias aos meus padecimentos? Que futuro de impertinências me espera! Ai, Lisboa, Lisboa, e pensar eu que só posso voltar para ti à custa de outra jornada!

O quarto de Henrique era arranjado com simplicidade. Um alto leito de almofadas na cabeceira e rodapé de chita, tão alto que se não dispensava o auxílio da cadeira para trepar acima dele, uma cómoda com um pequeno espelho, um baú, um lavatório e duas cadeiras mais, constituíam a mobília toda.

Henrique de Souzelas sentiu a falta de mil pequenos objectos de toucador, a que estava habituado. Aquele estritamente necessário não lhe prometia grandes confortos.

Deitou-se. A roupa da cama era de linho alvíssimo e respirava um asseio e frescura convidativos: os travesseiros, de largos folhos engomados, possuíam uma moleza agradável às faces; o colchão de penas abatia-se suavemente sob o peso do corpo fatigado.

Henrique conchegou a roupa a si; à falta de velador, pousou o castiçal no travesseiro, e, abrindo um livro que trouxera de Lisboa, pôs-se a ler, para obedecer a um hábito adquirido.

Não teria ainda lido um quarto de página, quando ouviu a voz da tia Dorotéia, que lhe dizia de fora da porta:

— Ó menino, tu já te deitaste?

— Já, sim, tia Dorotéia.

— Olha se tens cautela com a luz. Eu tenho um medo de fogos!

— Esteja descansada, tia. Eu apago já.

— Então será melhor. S. Marçal nos acuda.

E afastou-se, rezando ao santo.

Daí a pouco a mesma voz:

— Tu já dormes, Henriquinho?

— Não, tia, ainda não durmo.

— Olha que não vás adormecer sem apagar a luz. Eu tenho um medo de fogos! Não descanso, enquanto não vejo tudo apagado em casa.

Henrique perdeu a paciência.

— Pois pode sossegar, olhe.

E apagou a vela, meio zangado.

— Fizeste bem, fizeste bem; isto já é tarde e é melhor fazer por dormir. Então, muito boas noites.

— Muito boas noites — respondeu Henrique quase amuado; e ajeitando-se na cama, dizia consigo: — E esta! Já vejo que nem ler me é permitido aqui. Olhem que vida me espera! É isto o que me devia curar? Que fatalidade!

Dentro em pouco, os dois felpudos cobertores de papa, únicos que conservava dos cinco primitivos, começaram a fazer o seu efeito, insinuando nos membros cansados da jornada um agradável calor. Convidavam ao sono o som da água num tanque, que ficava por baixo das janelas do quarto, e as gotas da chuva, que dos beirais do telhado caíam compassadas na tábua do peitoril.

A noite sossegara. De quando em quando apenas algumas lufadas de vento, já menos impetuosas, faziam bater as vidraças.

Eram como estes estados que sucedem a um choro aberto. Correm ainda algumas lágrimas nas faces, mas já não brotam novas dos olhos: saem ainda do peito os soluços, porém mais espaçados; dentro em pouco será completa a serenidade.

Henrique começou a experimentar uma languidez, um delicioso bem-estar naquele confortável leito e no meio daquele sossego; fecharam-se-lhe, enfraquecidos, os olhos, e deslizou suave, insensivelmente, no mais profundo, tranquilo e restaurador sono, que, havia muito tempo, tinha dormido.

ANTÓNIO NOBRE

(1867-1900)

António Nobre é um dos maiores poetas portugueses e talvez aquele que, por condão e de vontade, mais e melhor exprimiu a singularidade portuguesa: a resignação ao destino num fundo de suave tristeza; a perpétua sublimação de um passado precioso em tudo: grandes glórias históricas e bagatelas domésticas, Índias perdidas e flores murchas; o amor do risco, magníficos desprendimentos e ao mesmo tempo um ideal de vida caseiro, feito de egoísmos almofadados e de ambições pueris.

Nado e criado no Porto, o seu ambiente familiar reflectia perfeitamente a condição da gente do norte do país: burguesia de origem rural, robustecida pelo trabalho no Brasil (seu pai foi emigrante) e enobrecida pela fixação no Porto cosmopolita e provincial, criador do gosto da vida sedentária e decorosa no usufruto dos cómodos dos negócios e das coisas belas e espirituais. Seu pai era da Lixa; sua mãe, do Seixo, no termo de Penafiel, onde o poeta passou grandes temporadas, antes e depois da tuberculose que o minou. Leça e Matosinhos eram a sua porta aberta para o mar e para a vida cosmopolita, através do bairro de pescadores e da colónia inglesa; o Seixo a sua ligação com a vida de província portuguesa, castiça, calma, cheia de amas, de abades, de rios e veigas à lua.

É desses elementos tradicionais, sabiamente doseados numa experiência de perpétua adolescência preservada por um temperamento fino e superiormente egoísta, dotado de uma sensibilidade de donzela numa virilidade discreta de português antigo, que se nutre a poesia de António Nobre.

As duas grandes jornadas da vida do poeta foram as de Coimbra e Paris. Coimbra deu-lhe (1889-1890) o cenário de um drama feito de estéticos e autênticos sofrimentos, povoado de algumas alegrias e singularidades boémias, um amor não realizado (Margarette, a Purinha), a lenda áurea da vida académica que tem pergaminhos em Camões, Garrett e João de Deus. Camões era o padroeiro do génio português; Garrett o sacerdote do seu culto; João de Deus o perfeito exemplar do poeta que se abandona à própria estrela com simples e pacata confiança. Da paisagem incomparável do Mondego, da estúrdia universitária, do requinte de mil motivos de beleza procurados no folclore, no dandismo, na vida quotidiana, António Nobre fez uma poesia desconhecida em Portugal, impressionante pela autenticidade e pela intimidade de matéria e atitudes.

Garrett dera-lhe uma estética nacional, o modelo pessoal do artista puro («Garrett da minha paixão»), e o gosto das viagens de ao pé da porta. Nobre canta as recordações da infância, as pequenas memórias dos sítios e das pessoas queridas, os barcos pescadores da Póvoa de Varzim e de Leça, as ermidas, as romarias, as procissões de Portugal. A sua narração é propositadamente negligente; o seu discurso cansado vai respirando na saudade, enchendo-se de melodia na evocação das coisas abolidas pela distância e pelo tempo.

Os seus Primeiros Versos *vão de 1882 a 1889. Muitos deles são datados do Porto, de Leça e do Seixo. Canta uma* Inglesinha *«sincera como os versos que eu componho» e que escreve na areia: «I love you». Aos dezanove anos já está «triste e cansado», e, quando vem do mar, guarda algas num livro: á a lua nova atrai rimas de «cova» num poemazinho,* A Scisma, *onde já afloram outros temas do* Só. *Mais antiga ainda, dos dezassete anos, é uma breve composição* «Sepulcrozinho», *impregnada da fidelidade do amigo a um poeta morto. Mas é nos* Primeiros Versos *de 1888, já do período de Coimbra, que António Nobre amadurece. Um poema como* Além-Sol!, *em que o poeta se faz feitor da Virgem Maria, «semeando estrelas e plantando luas», e um soneto como o que Nobre, já* dandy, *consagra ao seu cão* D. António, *abrem caminho em direcção uo que de melhor há no seu livro definitivo: o «Só», — título que prevaleceu sobre* «Alicerces» *e* «Confissões».

Mas como verdadeiras confissões ficou esse livro estranho, esfuziante, singular desde o título tipograficamente puxado de alto abaixo do rosto, até aos títulos das secções do volume e dos poemas.

O efeito foi imenso. Aparecia enfim um livro de versos de que o próprio autor era o herói declarado e dramatizado — «Anto», «o poeta, o diabo, o lua», — com enfances *contadas desde as núpcias dos pais, o «condão» segregado pelas fadas (que também haviam de fadar a Purinha), a velha ama, o Senhor Abade, Anto estudante de Coimbra e* dandy *astral de luvas pretas ... O tom de Romanceiro, a quadra nobilitada dão encanto e graça à poesia de Nobre, uma das mais belas, originais e influentes da literatura portuguesa.*

[A ARES NUMA ALDEIA]

Quando cheguei, aqui, Santo Deus! como eu vinha!
Nem mesmo sei dizer que doença era a minha,
Porque eram todas, eu sei lá! desde o Ódio ao Tédio.
Moléstias d'Alma para as quais não há remédio.
Nada compunha! Nada, nada. Que tormento!
Dir-se-ia acaso que perdera o meu talento:
No entanto, às vezes, os meus nervos gastos, velhos,
Convulsionavam-nos relâmpagos vermelhos,
Que eram, bem o sentia, instantes de Camões!
Sei de cor e salteado as minhas aflições.
Quis partir, professar num convento de Itália,
Ir pelo Mundo, com os pés numa sandália...
Comia terra, embebedava-me com luz!
Êxtases, espasmos da Teresa de Jesus!
Contei naquele dia um cento de desgraças.
Andava, à noite, só, bebia a Noite às taças.
O meu cavaco era o dos Mortos, o das Loisas.
Odiava os Homens ainda mais, odiava as Coisas.
Nojo de tudo, horror! Trazia sempre luvas
(Na aldeia, sim!) para pegar num cacho d'uvas,
Ou numa flor. Por causa dessas mãos... Perdoai-me,
Aldeões! eu sei que vós sois puros. Desculpai-me.

Mas, através da minha dor, da Tempestade,
Sentia renascer minha antiga bondade
Nesta alma que a perdera. Achava-me melhor.
Aos pobrezinhos enxugava-lhes o suor.
A minha bolsa pequenina, de estudante,
Era p'r'os pobres. (E é e sê-lo-á d'oravante.)
E ao vir das tardes, ao passar por um atalho,
Eu ia olhando o chão, embora com trabalho,
Pois os meus olhos não podiam de fadigas,
P'ra não pisar os carreirinhos das formigas
Que andam, coitadas! noite e dia, a carregar.
E com vergonha, p'ra ninguém me ver chorar,
Lívido, magro, como um espeto, uma tocha,
Costumava esconder-me em uma certa rocha,
Que, por sinal, tinha o feitio de um gabão,
E punha-me a chorar, a chorar como um leão!
Tinha as vozes do Mar, pregando em seu convento
E a gesticulação dos pinheirais ao Vento!
Ó dor! ó Dor! ó Dor! Cala, ó Job, os teus ais,
Que os tem maiores este filho de seus Pais!
Ó Cristo! cala os ais na tua ígnea garganta,
Ó Cristo! que outra dor mais alta se alevanta!

Meu pobre coração toda a noite gemia
Como num Hospital...

Entrai na enfermaria!
Vêde, Quistos da Dor! Furo-os com uma lança:
Que nojo, olhai! são as gangrenas da Esperança!
Lanceto mais: que lindas cores! um Oceano!
Ó mornos vagalhões do Coração humano,
Amarelos, azuis, negros, cor do Sol-posto!
Ó preamar de pus! maré-viva d'Agosto!

Oceano! ó vagalhões! qual é a vossa Lua?
A que horas é a baixa-mar, quem vos escua?
Lanceto mais ainda: as Ilusões sombrias!
Cancros do Tédioa supurar Melancolias!
Gangrenas verdes, outonais, cor da folhagem!
O pus do Ódio a escorrer nesta alma sem lavagem!
Tristezas cor de chumbo! *Speen*! Perdidos sonos!
Prantos, soluços, ais (o Mar pelos outonos)
A febre do Oiro! O Amor calcado aos pés! Génio! Ânsia!
Medievalite! O Sonho! As saudades da Infância!

Quantos males, Senhor! Que Hospital! Quantas doenças!

Filosofias vãs! Perda das minhas crenças!
Neurastenia! O Susto! Incoerências! Desmaios!
Sede de imensa luz como a dos pára-raios!
Entusiasmos! Lesão-cardíaca da Raiva!
Mágoas sem fim, prantos sem fim! Chuva, saraiva
De Insultos! Aflições e Desesperos! Gota
De cóleras! Horror...

     Deixei fugir a escota
Perdi-me no alto mar, quando ia na galera
À India da Ilusão, ao Brasil da Quimera!
Ó Bancos do Remorso! ó rainhas Machebetts
Da ambição! ó Reis Lears da Loucura! ó Hamlets
Da minha Vingança! ó Ofélias do Perdão...
(Sossega! Faze por dormir, meu coração!
Vai alta a noite...) E o sangue arde-me nestas veias!
Febre a cem graus! Delírio: O Céu de Luas-Cheias
Desde o Oriente ao Sol-pôr, de Norte a Sul coberto;
O mundo jovial de guarda-sol aberto!

Mar de esmeralda fluida, praias de oiro em pó!
Ó esquadras das quais era almirante eu só!
Ó clarins a soar entre balas, na guerra!

E vencer pela Pátria! E ser Conde da Terra
E do Mar! El-Rei! Ser Senhor feudal do Mundo!
Encher a trasbordar a Vida, mar sem fundo,
Com palácios, Amor, glórias, Luxo, batalhas,
E reis e generais envoltos nas mortalhas!...
P'ra contar tanta coisa a encher tantos abismos,
Homens! criai outro sistema de algarismos!
Meu Deus! Que pesadelo! Ah! tanta febre assusta...
Struggle-for-life! Ó velho Darwin, tanto custa!
Antes não ter nascido. Ó Morte, vem buscar-me...
Um lenço branco, Adeus! nos longes, a acenar-me:
Adeus, meu lar! adeus, minha taça de leite!
E foi o dia 13... E os corcundas e o azeite
Que eu entornei, Pretas que eu vi, uivos de cães!...
Choras? Porquê, por quem, Anto? Pelos Alguéns.
Chorar é bom. Ainda te resta esse prazer.
Lágrimas: suor da alma! Cansado? Vais morrer,
Vais dormir... Ainda não! mais febre, suores frios,
Tremuras, convulsões, nevroses, arrepios!
Unhas de leão, raspando cal numa parede!
Corpos divinos, nus, ao léu! Luxúrias, sede
De amor místico! Amar freiras de hábito branco,
Morrer com elas despenhado num barranco,
Sob relâmpagos!...

Jesus! Jesus! Jesus!

Ah quanto foi bem pior que a tua a minha cruz!
Quanto sofri, meu Deus! Ah quanto eu sofro ainda!

E isto num mês de paz, nesta época tão linda,
Solstício de Verão, quando nos sabe a vida,
Quando aparece o cravo, a minha flor querida,
Quando os Sóis-postos são uma delícia, quando
Os aldeões andam a podar, cantarolando,
E, ali, ao pé dos milheirais, as lindas netas
Ceifam curvadas, como na haste as violetas!
Médico? Para quê... A doença era d'Alma.

Saía, apenas, à tardinha, pela calma,
Sorvendo aos haustos a resina dos pinheiros.
Tomava quase sempre a estrada dos *Malheiros*.
A nossa casa é ao virar mesmo da estrada,
Onde perpassam os aldeões na caminhada
E a mala-posta a rir, cheia de campainhas!
Ora havia, lá (e há ainda) umas *Alminhas*
Com um painel antigo sobre o oratório,
Que são as almas a penar no Purgatório.
E têm esta legenda: «Ó vós que ides passando,
Não esqueçais a nós neste lume penando!»
Deitava-lhes dez réis, mas ficava a cismar
Que mais penava eu... se elas quisessem trocar.
E mais adiante (ainda me lembro: num atalho
Ao pé da fonte) havia um monte de cascalho
Com uma Cruz de pau, braços ao Sul e ao Norte,
Para mostrar que, ali, se fizera uma morte:
Ora (é um costume) quando alguém vai de longada,
Ao ver aquela Cruz, que parece uma espada,
Deita uma pedra: cada pedra é uma oração.
Oh raras orações! nunca se calam, não!
Perpetuamente, lá ficam os Padre-Nossos,
Rezas de pedra, a orar, a orar por esses ossos!...

Eu, como os mais, deitava uma pedra, também,
Dizendo para mim «se me matasse alguém...»
Mas eu seguia o meu passeio, estrada fora,
E ninguém me matava...
                    Ah! vinham a essa hora
As moças da lavoura a cantar, a cantar,
(Faziam-me, Senhor! vontade de chorar...)
Mas quando, perto já, eu me ia aproximando,
Paravam de cantar e ficavam-me olhando...
E, que eu não fosse ouvir, murmuravam, baixinho,
Com dó, a olhar: «Como ele vai acabadinho!»

Mais adiante, encontrava a mulher do moleiro,
Que ia o cântaro encher à Fonte do Salgueiro,
Lindos cabelos empoeirados de farinha:
Era uma flor, mas parecia uma velhinha...
— Vai melhorzinho? — Assim... vou indo, vou melhor...
— Pois seja pelas Cinco Chagas do Senhor...

E um pouco mais além, no lugar do Casal,
Numa casa de colmo, assentado ao portal,
Estava um cego, e a fiar ao lado estava a mãe,
E mal sentia, ao longe, as passadas de alguém,
Clamava em sua voz vibrante de ceguinho:
«Meu nobre senhor! Olhe este desgraçadinho!»
Ai de mim! ai de mim! como não vê quem passa,
É que chama a atenção para a sua desgraça!

E para bem coroar o meu trágico fado,
Dizia-me, ao passar, o Dr. Delegado
«Vá para casa, fuja aos orvalhos da noite»,
E, grave, para si:
                «A ciência abandonou-te!»

Horror! horror! horror! Que miserável sorte!
Em tudo via a *Velha,* em tudo via a Morte:
Um berço que dormia era um caixão p'ra cova!
Via a Foice no Céu, quando era Lua Nova...
Se ia à tapada ver ceifar as raparigas,
Via-a entre elas a cortar também espigas!
E ao ver as terras estrumadas, como lume,
Quedava-me a cismar no meu destino... estrume!
A pomba que passava era a minha alma a voar...
E era a minha agonia um pinhal a ulular!
E, ao ver meadas de linho a corarem, ao Sol,
Pensava... se estaria, ali, o meu lençol...
E o que eu cismava ao ver passar os carpinteiros,
Cantando alegres e fumando, galhofeiros,
A tiracolo a serra, o martelo e o formão...
Vinham, quem sabe! de acabar o meu caixão!
Deitava-me no chão de ventre para o ar,
Cismava: se morrer, é assim que hei-de ficar...

Como me tinha em pé, não sei. Sequer um músculo!
À hora cristã, entre as nevroses do Crepúsculo,
Entre os sussurros da tardinha, ao Sol-poente,
Quando cantam na sombra as fontes, vagamente,
Quando na estrada vão as mulinhas, a trote,
Que o alvo moleiro faz marchar sem o chicote,
Ó Natureza! tão amigos são os dois!...
E se ouvem expirar os chocalhos dos bois,
Ao longe, ao longe, entre as carvalhas do caminho...
Quando na ermida dão Trindades, de mansinho,
E os cravos dão à luz o fruto do seu ventre...
Quando se vê os Céus doidos, místicos, entre
Soluços e ais a desmaiar, como num flato;

Ali, na encosta onde bebem num regato
Os animais, também bebia. Ora, uma vez
(Sim, faz agora, pelo São Martinho, um mês)
Quando para beber me debrucei na pia,
No fundo d'água, vi uma fotografia...
Jesus! Um velho! O seu cabelo, assim ao lado,
O mesmo era que o meu, todo encaracolado!
O rosto ebúrneo! o olhar era tal-qual o meu!
E o lábio... Horror! Fugi! esse velhinho era eu!

Fugi!

E, desde então, não mais saí de casa.
Há muito, que não vejo uma flor, uma asa,
Há muito já, que não sorvi o mel dum beijo:
Do meu cortiço voou a abelha do Desejo.
As duas filhas do caseiro, ao vir da escola,
Dantes vinham-me ver, eu dava-lhes esmola.
Cantavam, riam e saltavam, um demónio!
E tão lindas, Jesus! tão amigas do António...
E, agora, mal me vêem, tremem todas, coitadas!
Eu chamo-as da janela e fogem, assustadas!
E, ao vê-las na fugida, eu quase que desmaio...
Jesus, tão lindas! São duas tardes de Maio!

Um doente faz medo. Por isso fogem dele.
Estou aqui, estou ido. Só tenho pele.
Nada me salva, nada! É impossível salvar-me.
E o que eu tenho a fazer é, apenas, resignar-me
E já me resignei... Mas Carlota, esse amor,
Quis por força chamar o bom Senhor Doutor.
E eu consenti, enfim. E lá mandou o criado
Buscar o cirurgião. Ele é o mais afamado

Nestas três léguas, o Dr. da Presa Velha.
Ei-lo que chega...
         — Olá!... (Vê-me a língua vermelha,
Toma-me o pulso...) — Está bom, isso não é nada,
Beba-lhe bem, vá aos domingos à tourada,
E, sobretudo, veja lá... nada de versos...
Mas o doutor mais eu, nós somos tão diversos!
Certo, ele é sabido, mas não tem prática alguma
Destas moléstias e o que eu tenho é, apenas, uma
Tísica d'Alma. Enfim...
              A Carlota! A Carlota!
Boa velhinha, como ela é meiga e devota!
Já estaria bem, se me valessem rezas,
E, no Oratório, tem duas velas acesas
Noite e dia, a clamar à Senhora das Dores!
E sei, até, que prometeu uma novena,
Se eu escapar... Como tudo isso me faz pena!
E trata-me tão bem, tão bem! como se eu fosse
Seu filho. Dá-me, olhai, pratinhos de arroz doce
Com as iniciais do meu nome em canela,
E traz-me o caldo, como exijo, na tijela
Por onde come o seu. E dá-me o vinho fino,
Onde me molha o pão de ló «pró seu menino»
Que é assim que eu gosto, pelo Cálix do Senhor,
Que pertenceu, outrora, ao meu tio Reitor.
Carlota é um anjo. Faz-me todas as vontades,
Quando me sinto pior, ao bater das Trindades,
E me apetece comer terra, algumas vezes
(Assim, são nossas mães, perto dos Nove meses)
Sai a buscar uma mão cheia. Vem molhada:
Foi ela que chorou... mas diz que «é da orvalhada...»
E quando, enfim, sombrio, agoniado, farto,

Me vou deitar, a santa acompanha-me ao quarto:
Ajuda-me a despir e mete-me na cama.
E com um mimo que só sabe ter uma ama
Cobre-me bem, «durma, não cisme», dá-me um beijo,
E sai. Finge que sai, cuida ela que eu não vejo,
Mas fica à porta, à escuta, a ouvir-me falar só,
E não se vai deitar...

        Onde há assim uma Avó?

A todo o instante se ouve à porta: «Tlim, tlim, tlim!»
Três léguas em redor manda saber de mim
(Aqui, lhes deixo minha eterna gratidão).
Toca o sino e lá vai a Carlota ao portão,
Muito baixinha, atarefada; espreita à grade,
— Quem é?... E, então, olhai!
        «É o Senhor Abade
Que manda esta perdiz, mortinha de manhã;
Mais o Senhor D. Sebastião de Vila Meã
— O bom Senhor! p'ra que se está a incomodar!
Que manda este salmão do Tâmega, a saltar!»;
Mais o Senhor Doutor de Linhares «que manda
Os cravos mais lindos que tinha na varanda»;
Mais «o da igreja que oferece a codorniz
Que matou, hoje, na Tapada de Dom Luís»;
Mais o Sr. Miguel das Alminhas de Pulpa
«Que manda este peru e que pede desculpa»;
Mais «as fidalgas de Raimonda e de Tuias;
Mandam os livros e cá vêm, um destes dias...»
E, até o Astrónomo, coitado! e o Sé dos Lodos
Mandam coisas: sei lá... o que podem. E todos
Mandam também saber «como vai o menino...»
E, então, Carlota, bom Deus! é tal-qual o sino

Na noite a badalar as suas badaladas!
Põe-se a contar, carpindo, a minha doença às criadas,
Tudo o que eu digo, quanto faço, quanto quero:
— Olhe, Sr.ª Júlia, às vezes, desespero...
Mas, eu quero-lhe tanto! ajudei-o a criar...
Em pequenino era tão bom de aturar...
E depois era tão alegre, tão esperto!
E então que lindo! era mesmo um cravo aberto!
Mas, hoje, é aquilo: tem os olhinhos sumidos,
Tão faltinho de cor, os cabelos compridos,
E tosse tanta vez! já arqueia as costas...
Só falta vê-lo deitadinho, de mãos postas!
E ele é tão bom, tem tão bons modos.
                    — Coitadinho!
— Olhe, Sr.ª Júlia, nunca viu o linho
Que a gente deita ao Sol, quando é para secar,
E que se põe assim a esticar, a esticar?
Assim é o Menino...
                    — Ó Sr.ª Carlota,
E se eu falasse à Ana Coruja, essa que bota
As cartas? Foi talvez malzinho que lhe deu...
— Nunca foi assim: foi depois que se meteu
A fumar, a beber e lá com as po'sias.
Aquilo para mim foram as companhias.
Vinha p'ra casa, à meia-noite, noite morta,
E eu fazia serão para lhe abrir a porta.
E nunca ia à lição, ficava sempre mal
Nos seus exames, escrevia no jornal;
E o Pai (que é um santo, como há poucos) que não via
Nem vê mais nada, então nunca o repreendia
Com medo de o afligir... mas depois, quando estava
Metido à noite, só, no seu quarto... cismava.

O Povo diz por i que foi paixão que trouxe
Lá dos estudos, de Coimbra...
                    Antes fosse,
Porque o remédio estava, ali, na Igreja... Adei...
— Mas se a menina não quisesse... eu sei, eu sei...
— Sr.ª Júlia! Não havia de querer!
Não que ele é mesmo alguém hi para se perder,
Para deitar à rua: um senhor tão prendado!
Depois, está aqui, está quase formado...

Ai valha-me Jesus! eu perco a ideia, faço
A minha perdição... Às vezes, ergue o braço
E vai por i fora, por todas essas salas,
A pregar, a pregar, e tem mesmo umas falas
Que não enxergo bem, mas que fazem tremer:
Ontem, à noite, quando se ia a recolher,
(Quando faz lindo luar, quer deitar-se sem vela)
Entrou na alcova, eu tinha ainda aberta a janela,
E diz-me assim, tão mau: «p'ra que veio entornar
Água no quarto?» e vai-se a ver... era o luar!
E quando foi para chamar o cirurgião!?
Jesus! quanto custou! Que não, que não, que não!
Não tinha fé nenhuma «em doutor humano»,
Que só a tinha no Sr. Doutor Oceano.

Mas uma coisa que lhe fez ainda pior,
Que o faz saltar e lhe enche a testa de suor,
É um grande livro que ele traz sempre consigo,
E nunca o larga: diz que é o seu melhor amigo,
E lê, lê, chama-me: «Carlota, anda ouvir!»

Mas nada oiço. Diz que é o Shakespeare.

Às vezes, bota versos, diz coisas tão más!
Nada lhe digo, mas aquilo não se faz.
Ainda, esta manhã: eu estava a pôr flores
E as velas acendia à Senhora das Dores,
(Que tem dó dele, coitadinha! chora tanto...)
Vai o menino a olhar, sai-me dum canto
E uiva-lhe assim:
              «Antes as tuas sete espadas!»

E o que à Sr.ª Júlia diz, diz às mais criadas.

(De *Só*)

EÇA DE QUEIRÓS
(1845-1900)

Filho e neto de magistrados, de uma família de apelidos fidalgos do Norte do país, Eça de Queirós nasceu na Póvoa de Varzim, de amores legalizados para o legitimar (1849). Sua mãe era de uma família minhota de militares ilustres. De compleição débil, criado fora do lar, Eça de Queirós estudou Direito em Coimbra, pertencendo à geração que teve em Antero, poeta e filósofo, o seu «príncipe», e recebeu a influência da literatura e do pensamento europeus que culminam em 1870.

Passado o período coimbrão de alvoroços intelectuais e de experiências romanescas, estreou-se nos jornais de Lisboa com folhetins poéticos (Prosas Bárbaras), *em que se combinam reminiscências de Byron, Hugo, Nerval, Heine e Baudelaire com uma verve copiosa e um romantismo negro, troncos de um estilo fino, fantasioso e nítido. Eça fez um efémero ensaio de advocacia (Lisboa), uma curta experiência de jornalismo político (Évora) e de administração civil (Leiria), que aprofundaram o seu contacto com a classe média e a vida de província.*

Cônsul em Cuba (Havana), em Inglaterra (New-Castle e Bristol), e finalmente em Paris, por longos anos, o estrangeiro desenvolveu o seu natural cosmopolitismo, dando-lhe uma perspectiva entre saudosa e irónica das coisas portuguesas. De Leiria levou Eça o esquema de O Crime do Padre Amaro; *de Lisboa, aonde vinha de passagem e onde frequentava a boa sociedade tangencial à burguesia e à plebe urbana, tirou os materiais com que construiu* Os Maias, A Relíquia, *enfim o centro da sua galeria romanesca, alargada ao fundo provincial da vida portuguesa em livros como* A Ilustre Casa de Ramires *e* A Cidade e as Serras.

Aderido ao molde realista do romance francês e ao dogma do estilo de Flaubert, Eça de Queirós pôde nacionalizar o seu romance pela fidelidade aos tipos, costumes e paisagens nacionais, e principalmente pela sua poesia congénita, saturada de uma melancolia irónica e servida por uma estesia obsessionada de ritmo e de humor.

O que faz Eça de Queirós mestre do romance português é a observação sólida, o sentido evolutivo da intriga, a lógica noção dos esquemas de acção e das coe-

rentes posições das personagens. Um poder de notação circunstancial sóbrio e elegante faz crescer a peripécia diante do leitor; e, se a vida interior das personagens é pobre, se o guignol predomina sobre o jogo de vida feito em profundidade, a linha de um acontecer autêntico não se quebra e os conflitos desfecham sempre, ao menos na contracena bem montada dos tipos e dos caracteres explorados.

A relativa falta de personagens inteiramente limpas do pecado original da caricatura ou do tipo (Amélia, Luísa, Juliana são no entanto verdadeiros casos humanos) é amplamente compensada pelo movimento da comparsaria de Eça, pela invenção multiplicada, o estilo luminoso e rico de desenho, a atmosfera cuidada, envolvente, cheia de sugestão e de poesia, em que seres e coisas representam uma comédia trivial e brilhante. A vida aparece impregnada de uma fatalidade romanesca que o romancista resolve com ironia elegante e com uma indulgência que vai distraindo o leitor da fealdade e da amargura exploradas pelo caminho.

A crueza do processo realista e satírico a que Eça submeteu nos seus principais romances a sociedade portuguesa, deliberadamente vista na sua comédia civilizada e na sua provincial monotonia, parece ter provocado no romancista um propósito de poenitet me, que se acusa em livros como A Ilustre Casa de Ramires *e* A Cidade e as Serras, *em que se esboça o apelo às virtudes e se poetiza a existência do português nostálgico dos tempos heróicos (Gonçalo Ramires) ou cansado da vida dissipada (Jacinto). Mas é difícil decifrar se este contraponto de maneiras obedece mais a uma intenção ética do que a um temperamento que concebe naturalmente a vida como uma comédia mesquinha e trágica (Padre Amaro, Primo Basílio, Os Maias, A Relíquia, A Capital), em que se abrem entreactos decentes e pastoris (A cidade e as Serras). Esta dupla visão romanesca documenta-se aliás intramuros da mesma obra. Em* O Crime do Padre Amaro, *o «lado» Morenal e Ricoça (Abade Ferrão) representaria essa ilha florida de sentimentos que em* O Primo Basílio *é dada pelo ambiente em que Sebastião predomina, em* Os Maias *pela rigidez do velho Afonso da Maia; em* A Ilustre Casa de Ramires, *em proporções mais amplas e equilibradas, pela fraqueza optimista de Gonçalo e pelo halo da Torre de D. Ramiro, pelo oposto da Oliveira de André Cavaleiro e do Barrolo, toda vulgaridade e baixa intriga.*

Seja como for, o Eça cáustico e implacável do esquema do romance realista é sempre corrigido pelo poeta das Prosas Bárbaras, *dos* Contos *e das lendas de santos; e o cronista e mundano dos jornais brasileiros, do Chiado e de Neuilly, pródigo de um estilo que é sobretudo verve e fogo-de-artifício, não abafa o escritor, sensível e humano mais ou menos em tudo o que escreveu.*

O trecho que extraímos de A Cidade e as Serras *deve ser lido como uma visão média e bucolizada do Portugal das províncias do Norte, e não como um trecho autenticamente inspirado pela paisagem do Douro.*

[O   D O U R O]

A CORDEI envolto num largo e doce silêncio. Era uma Estação muito sossegada, muito varrida, com rosinhas brancas trepando pelas paredes — e outras rosas em moitas, num jardim, onde um tanquezinho abafado de limos dormia sob duas mimosas em flor que rescendiam. Um moço pálido, de paletó cor de mel, vergando a bengalinha contra o chão, contemplava pensativamente o comboio. Agachada rente à grade da horta, uma velha, diante da sua cesta de ovos, contava moedas de cobre no regaço. Sobre o telhado secavam abóboras. Por cima rebrilhava o profundo, rico e macio azul de que meus olhos andavam aguados.

Sacudi violentamente Jacinto:

— Acorda, homem, que estás na tua terra!

Ele desembrulhou os pés do meu paletó, cofiou o bigode, e veio sem pressa, à vidraça que eu abrira, conhecer a sua terra.

— Então é Portugal, hem?... Cheira bem.

— Está claro que cheira bem, animal!

A sineta tilintou languidamente. E o comboio deslizou, com descanso, como se passeasse para seu regalo sobre as duas fitas de aço, assobiando e gozando a beleza da terra e do céu...

O meu Príncipe alargava os braços desolado:

— E nem uma camisa, nem uma escova, nem uma gota de água de Colónia!... Entro em Portugal, imundo!

— Na Régua há uma demora, temos tempo de chamar o Grilo, reaver os nossos confortos... Olha para o rio!

Rolávamos na vertente duma serra, sobre penhascos que desabavam até largos socalcos cultivados de vinhedo. Em baixo, numa esplanada, branquejava uma casa nobre, de opulento repouso, com a capelinha muito caiada entre um laranjal maduro. Pelo rio, onde a água turva e tarda nem se quebrava contra as rochas, descia, com a vela cheia, um barco lento carregado de pipas. Para além, outros socalcos, dum verde pálido de reseda, com oliveiras apoucadas pela amplidão dos montes, subiam até outras penedias que se embebiam todas brancas e assoalhadas, na fina abundância do azul. Jacinto acariciava os pêlos corredios do bigode:

— O Douro, hem?... É interessante, tem grandeza. Mas agora é que estou com uma fome, Zé Fernandes!

— Também eu!

E logo destapámos o cesto de D. Esteban, de onde surgiu um bodo grandioso, de presunto, anho, perdizes, outras viandas frias que o ouro de duas nobres garrafas de Amontillado, além de duas garrafas de Rioja, aqueciam com um calor de sol andaluz. Durante o presunto, Jacinto lamentou contritamente o seu erro. Ter deixado Tormes, um solar histórico, assim abandonado e vazio! Que delícia, por aquela manhã tão lustrosa e tépida, subir à serra, encontrar a sua casa bem apetrechada, bem civilizada... Para o animar, lembrei que com as obras do Silvério, tantos caixotes de Civilização remetidos de Paris, Tormes estaria confortável mesmo para Epicuro. Oh! mas Jacinto entendia um palácio perfeito, um 202 no deserto!... E, assim discorrendo, atacámos as perdizes. Eu desarrolhava uma garrafa de Amontillado — quando o comboio muito sorrateiramente, penetrou numa Estação. Era a Régua. E o meu Príncipe pousou logo a faca para chamar o Grilo, reclamar as malas que traziam o asseio dos nossos corpos.

— Espera, Jacinto! Temos muito tempo. O comboio pára aqui

uma hora... Come com tranquilidade. Não escangalhemos este almocinho com arrumações de maletas... O Grilo não tarda a aparecer.

E corri mesmo a cortina, porque de fora um padre muito alto, com uma ponta de cigarro colada ao beiço, parara a espreitar indiscretamente o nosso festim. Mas, quando acabámos as perdizes, e Jacinto confiadamente desembrulhava um queijo manchego, sem que o Grilo ou Anatole comparecessem, eu, inquieto, corri à portinhola para apressar esses servos tardios...

E nesse instante o comboio, largando, deslizou com o mesmo silêncio sorrateiro. Para o meu Príncipe foi um desgosto:

— Aí ficamos outra vez sem um pente, sem uma escova... E eu que queria mudar de camisa! Por culpa tua, Zé Fernandes!

— É espantoso! Demora sempre uma eternidade. Hoje chega e abala! Paciência, Jacinto. Em duas horas estamos na Estação de Tormes... Também não valia a pena mudar de camisa para subir à serra! Em casa tomamos um banho, antes de jantar... Já deve estar instalada a banheira.

Ambos nos consolámos com copinhos duma divina aguardente Chinchon. Depois, estendidos nos sofás, saboreando os dois charutos que nos restavam, com as vidraças abertas ao ar adorável, conversámos de Tormes. Na estação certamente estaria o Silvério, com os cavalos...

— Que tempo leva a subir?

Uma hora. Depois de lavados, sobrava tempo para um demorado passeio pelas terras com o caseiro, o excelente Melchior, para que o Senhor de Tormes, solenemente, tomasse posse do seu Senhorio. E à noite o primeiro bródio da serra, com os pitéus vernáculos do velho Portugal!

Jacinto sorria, seduzido:

— Vamos a ver que cozinheiro me arranjou esse Silvério. Eu recomendei que fosse um soberbo cozinheiro português, clássico. Mas que soubesse trufar um peru, afogar um bife em molho de moela, estas coisas simples da cozinha de França!... O pior é não te demorares, seguires logo para Guiães...

— Ah, menino, anos da tia Vicência no sábado... Dia sagrado! Mas volto. Em duas semanas estou em Tormes, para fazermos uma larga Bucólica. E, está claro, para assistir à trasladação.

Jacinto estendera o braço:

— Que casarão é aquele, além no outeiro, com a torre?

Eu não sabia. Algum solar de fidalgote do Douro... Tormes era nesse feitio atarracado e maciço. Casa de séculos e para séculos — mas sem torre.

— E logo se vê, da estação, Tormes?...

— Não! Muito no alto, numa prega da serra, entre arvoredo.

No meu Príncipe já evidentemente nascera uma curiosidade pela sua rude casa ancestral. Mirava o relógio, impaciente. Ainda trinta minutos! Depois, sorvendo o ar e a luz, murmurava, no primeiro encanto de iniciado:

— Que doçura, que paz!...

— Três horas e meia, estamos a chegar, Jacinto!

Guardei o meu velho *Jornal do Comércio* dentro do bolso do paletó, que deitei sobre o braço — e ambos em pé, às janelas, esperámos com alvoroço a pequenina Estação de Tormes, termo ditoso das nossas provações. Ela apareceu, enfim, clara e simples, à beira do rio, entre rochas, com os seus vistosos girassóis enchendo um jardinzinho breve, as duas altas figueiras assombreando o pátio, e por trás a serra coberta de velho e denso arvoredo... Logo na plataforma avistei com gosto a imensa barriga, as bochechas menineiras do chefe da Estação, o louro Pimenta, meu condiscípulo em Retórica, no Liceu de Braga. Os cavalos decerto esperavam, à sombra, sob as figueiras.

Mal o trem parou ambos saltámos alegremente. A bojuda massa do Pimenta rebolou para mim com amizade:

— Viva o amigo Zé Fernandes!

— Oh belo Pimentão!...

Apresentei o Senhor de Tormes. E imediatamente:

— Ouve lá, Pimentinha... Não está aí o Silvério?

— Não... O Silvério há quase dois meses que partiu para Castelo-de-Vide, ver a mãe, que apanhou uma cornada dum boi!

Atirei a Jacinto um olhar inquieto:

— Ora essa! E o Melchior, o caseiro?...

— Pois não estão aí os cavalos para subirmos à quinta?

O digno chefe ergueu com surpresa as sobrancelhas cor de milho:

— Não!... Nem Melchior, nem cavalos... O Melchior... Há que tempos eu não vejo o Melchior!

O carregador badalou lentamente a sineta para o comboio rolar. Então, não avistando em torno, na lisa e despovoada Estação, nem criados nem malas, o meu Príncipe e eu lançámos o mesmo grito de angústia:

— E o Grilo? as bagagens?

Corremos pela beira do comboio, berrando com desespero:

— Grilo!... Oh Grilo!... Anatole!... Oh Grilo!

Na esperança que ele e Anatole viessem mortalmente adormecidos, trepávamos aos estribos, atirando a cabeça para dentro dos compartimentos, espavorindo a gente quieta com o mesmo berro que retumbava: — «Grilo, estás aí, Grilo?» — Já duma terceira classe, onde uma viola repenicava, um jocoso gania, troçando: — «Não há por aí um grilo? Andam por aí uns senhores a pedir um grilo!» — E nem Anatole, nem Grilo!

A sineta tilintou.

— Oh Pimentinha, espera, homem, não deixes largar o comboio!... As nossas bagagens, homem!

E, aflito, empurrei o enorme chefe para o furgão de carga, a pesquisar, descortinar as nossas vinte e três malas! Apenas encontrámos barris, cestos de vime, latas de azeite, um baú amarrado com cordas... Jacinto mordia os beiços, lívido. E o Pimentinha, esgazeado:

— Oh filhos, eu não posso atrasar o comboio!...

A sineta repicou... E com um belo fumo claro o comboio desapareceu por detrás das fragas altas. Tudo em torno pareceu mais calado e deserto. Ali ficávamos, pois, baldeados, perdidos na serra, sem Grilo, sem procurador, sem caseiro, sem cavalos, sem malas! Eu conservava o paletó alvadio, de onde surdia o *Jornal do Comércio,* Jacinto uma bengala. Eram todos os nossos bens!

O Pimentão arregalava para nós os olhinhos papudos e compadecidos. Contei então àquele amigo o atarantado trasfego em Medina, sob a borrasca, o Grilo desgarrado, encalhado com as vinte e três malas, ou rolando talvez para Madrid sem nos deixar um lenço...

— Eu não tenho um lenço!... Tenho este *Jornal do Comércio.* É toda a minha roupa branca.

— Grande arrelia, caramba! — murmurava o Pimenta, impressionado. — E agora?

— Agora — exclamei — é trepar para a quinta, à pata... A não ser que se arranjassem aí uns burros.

Então o carregador lembrou que perto, no casal da Giesta, ainda pertencente a Tormes, o caseiro seu compadre tinha uma boa égua e um jumento... E o prestante homem enfiou numa carreira para a Giesta — enquanto o meu Príncipe e eu caímos para cima dum banco, arquejantes e sucumbidos, como náufragos. O vasto Pimentinha, com as mãos nas algibeiras, não cessava de nos contemplar, de murmurar:

— É de arrelia. — O rio defronte descia, preguiçoso e como adormentado sob a calma já pesada de Maio, abraçando, sem um sussurro, uma larga ilhota de pedra que rebrilhava. Para além a serra crescia em corcovas doces, com uma funda prega onde se aninhava, bem junta e esquecida do mundo, uma vilazinha clara.

O espaço imenso repousava num imenso silêncio. Naquelas solidões de monte e penedia os pardais, revoando no telhado, pareciam aves consideráveis. E a massa rotunda e rubicunda do Pimentinha dominava, atulhava a região.

— Está tudo arranjado, meu Senhor. Vêm aí os bichos!...
Só o que não calhou foi um selinzinho para a jumenta!

Era o carregador, digno homem, que voltava da. Giesta, sacudindo na mão duas esporas desirmanadas e ferrugentas. E não tardaram a aparecer no córrego, para nos levarem a Tormes, uma égua ruça, um jumento com albarda, um rapaz e um podengo. Apertámos a mão suada e amiga do Pimentinha. Eu cedi a égua ao senhor de Tormes. E começámos a trepar o caminho, que não se alisara, nem se desbravara desde os tempos em que o trilhavam, com rudes sapatões ferrados, cortando de rio a monte, os Jacintos do século XIV! Logo depois de atravessarmos uma trémula ponte de pau, sobre um riacho quebrado por pedregulhos, o meu Príncipe, com o olho de dono subitamente aguçado, notou a robustez e a fartura das oliveiras... — E em breve os nossos ma es esqueceram ante a incomparável beleza daquela serra bendita!

Com que brilho e inspiração copiosa a compusera o divino Artista que faz as serras, e que tanto as cuidou, e tão ricamente as dotou, neste seu Portugal bem-amado! A grandeza igualava a graça. Para os vales poderosamente cavados, desciam bandos de arvoredos, tão copados e redondos, dum verde. tão moço que eram como um musgo macio onde apetecia cair e rolar. Dos pendores, sobranceiros ao carreiro fragoso, largas ramarias estendiam o seu toldo amável, a que o esvoaçar leve dos pássaros sacudia a fragância. Através dos muros seculares, que sustêm as terras liados pelas heras, rompiam grossas raízes coleantes a que mais hera se·enroscava. Em todo o torrão, de cada fenda, brotavam flores silvestres. Brancas rochas, pelas encostas, alastravam a sólida nudez do seu ventre polido pelo vento e pelo sol; outras, vestidas de líquen e de silvados floridos, avançavam como proas de galeras enfeitadas: e, dentre as que se apinhavam nos cimos, algum casebre que para lá galgara, todo amachucado e torto, espreitava pelos postigos negros, sob as desgrenhadas farripas de verdura, que o vento lhe semeara nas telhas. Por toda a parte a água sussurante, a água fecundante... Espertos regatinhos fugiam, rindo com os seixos, dentre as patas da égua e do burro; grossos ribeiros açodados saltavam com fragor de pedra em pedra; fios direitos e luzidios como cordas de prata vibravam e faiscavam das alturas aos barrancos; e muita fonte, posta à beira de veredas, jorrava por uma bica, beneficamente, à espera dos homens e dos gados... Todo um cabeço por vezes era uma seara, onde um vasto carvalho ancestral, solitário, dominava como seu senhor e seu guarda. Em socalcos verdejavam laranjais rescendentes. Caminhos de lajes soltas circundavam fartos prados com carneiros e vacas retouçando — ou mais estreitos, entalados em muros, penetravam sob ramadas de parra espessa, numa penumbra de repouso e frescura. Trepávamos então alguma ruazinha de aldeia, dez ou doze casebres, sumidos entre figueiras, onde se esgaçava, fugindo do lar pela telha vã, o fumo branco e cheiroso das pinhas. Nos cerros remotos, por cima da negrura pensativa dos pinheirais, branquejavam ermidas. O ar fino e puro entrava na alma, e na alma espalhava alegria e força. Um esparso tilintar de chocalhos de guizos morria pelas quebradas...

Jacinto, adiante, na sua égua ruça, murmurava:

— Que beleza!

E eu, atrás, no burro de Sancho, murmurava:

— Que beleza!

Frescos ramos roçavam os nossos ombros com familiaridade e carinho. Por trás das sebes, carregadas de amoras, macieiras estendidas ofereciam as suas maçãs verdes, porque as não tinham maduras. Todos os vidros duma casa velha, com a sua cruz no topo, refulgiam hospitaleiramente quando nós passámos. Muito

184

tempo um melro nos seguiu, de azinheiro a olmo, assobiando os nossos louvores. Obrigado, irmão melro! Ramos de macieira, obrigado! Aqui vimos, aqui vimos! E sempre contigo fiquemos, serra tão acolhedora, serra de fartura e de paz, serra bendita entre as serras!

Assim, vagarosamente e maravilhados, chegámos àquela avenida de faias, que sempre me encantara pela sua fidalga gravidade. Atirando uma vergastada ao burro e à égua, o nosso rapaz, com o seu podengo sobre os calcanhares, gritou: «Aqui é que estêmos, meus amos!» E ao fundo das faias, com efeito, aparecia o portão da Quinta de Tormes, com o seu brasão de armas, de secular granito, que o musgo retocava e mais envelhecia. Dentro já os cães ladravam com furor. E quando Jacinto, na sua suada égua, e eu atrás, no burro de Sancho, transpusemos o limiar solarengo, desceu para nós, do alto do alpendre, pela escadaria de pedra gasta, um homem nédio, rapado como um padre, sem colete, sem jaleca, acalmando os cães que se encarniçavam contra o meu Príncipe. Era o Melchior, o caseiro... Apenas me reconheceu, toda a boca se lhe escancarou num riso hospitaleiro, a que faltavam dentes. Mas apenas eu lhe revelei, naquele cavaleiro de bigodes louros que descia da égua esfregando os quadris, o senhor de Tormes — o bom Melchior recuou, colhido de espanto e terror como adiante duma avantesma.

— Ora essa!... Santíssimo nome de Deus! Pois então...

E entre o rosnar dos cães, num bracejar desolado, balbuciou uma história que por seu turno apavorava Jacinto, como se o negro muro do casarão pendesse para desabar. O Melchior não esperava S. Exa.! Ninguém esperava S. Exa.!... (ele dizia sua incelência)... O sr. Silvério estava para Castelo de Vide desde Março, com a mãe, que apanhara uma cornada na virilha. E decerto houvera engano, cartas perdidas... Porque o sr. Silvério só contava com S. Exa. em Setembro, para a vindima! Na casa as obras seguiam devagarinho, devagarinho... O telhado, no sul, ainda continuava sem telhas; muitas vidraças esperavam, ainda sem vidros; e, para ficar, Virgem Santa, nem uma cama arranjada!...

Jacinto cruzou os braços numa cólera tumultuosa que o sufocava. Por fim, com um berro:

— Mas os caixotes? Os caixotes, mandados de Paris, em Fevereiro, há quatro meses?...

O desgraçado Melchior arregalava os olhos miúdos que se embaciavam de lágrimas. Os caixotes?! Nada chegara, nada aparecera!... E na sua perturbação mirava pelas arcadas do pátio, palpava na algibeira das pantalonas. Os caixotes?... Não, não tinha os caixotes!

— E agora, Zé Fernandes?

Encolhi os ombros:

— Agora, meu filho, só vires comigo para Guiães... Mas são duas horas fartas a cavalo. E não temos cavalos! O melhor é ver o casarão, comer a boa galinha que o nosso amigo Melchior nos assa no espeto, dormir numa enxerga, e amanhã cedo, antes do calor, trotar para cima, para a tia Vicência.

Jacinto replicou, com uma decisão furiosa:

— Amanhã troto, mas para baixo, para a estação!... E depois, para Lisboa!

E subiu a gasta escadaria do seu solar com amargura e·rancor. Em cima uma larga varanda acompanhava a fachada do casarão, sob um alpendre de negras vigas, toda ornada, por entre os pilares de granito, com caixas de pau onde floriam cravos. Colhi um cravo amarelo — e penetrei atrás de Jacinto nas salas nobres, que ele contemplava com um murmúrio de horror. Eram enormes, duma sonoridade de casa capitular, com os grossos muros enegrecidos pelo tempo e o abandono, e regeladas, desoladamente nuas, conservando apenas aos cantos algum monte de canastras ou alguma enxada entre paus. Nos tectos remotos, de carvalho apainelado, luziam através dos rasgões manchas de céu. As janelas, sem vidraças, conservavam essas maciças portadas, com fechos para as trancas, que, quando se cerram, espalham a treva. Sob os nossos passos, aqui e além, uma tábua podre rangia e cedia.

— Inabitável! — rugia Jacinto surdamente. — Um horror! Uma infâmia!...

Mas depois, noutras salas, o soalho alternava com remendos de tábuas novas. Os mesmos remendos claros mosqueavam os velhíssimos tectos de rico carvalho sombrio. As paredes repeliam pela alvura crua da cal fresca. E o sol mal atravessava as vidraças — embaciadas e gordurentas da massa e das mãos dos vidraceiros.

Penetrámos enfim na última, a mais vasta, rasgada por seis janelas, mobilada com um armário e com uma enxerga parda e curta estirada a um canto: e junto dela parámos, e sobre ela depusemos tristemente o que nos restava de vinte e três malas — o meu paletó alvadio, a bengala de Jacinto, e o *Jornal do Comércio,* que nos era comum. Através das janelas escancaradas, sem vidraças, o grande ar da serra entrava e circulava como num eirado, com um cheiro fresco de horta regada. Mas o que avistávamos, da beira da enxerga, era um pinheiral cobrindo um cabeço e descendo pelo pendor suave, à maneira duma hoste em marcha, com pinheiros na frente, destacados, direitos, emplumados, de negro; mais longe as serras de além-rio, duma fina e macia cor-de-violeta; depois a brancura do céu, todo liso, sem uma nuvem, duma majestade divina. E lá debaixo, dos vales, subia, desgarrada e melancólica, uma voz de pegureiro cantando.

Jacinto caminhou lentamente para o poial duma janela, onde caiu esbarrondado pelo desastre, sem resistência ante aquele brusco desaparecimento de toda a Civilização. Eu palpava a enxerga, dura e regelada como um granito de Inverno. E pensando nos luxuosos colchões de penas e molas, tão prodigamente encaixotados no 202, desafoguei também a minha indignação:

— Mas os caixotes, caramba?... Como se perdem assim trinta e tantos caixotes enormes?...

Jacinto sacudiu amargamente os ombros:

— Encalhados, por aí, algures, num barracão!... Em Medina, talvez, nessa horrenda Medina. Indiferença das Companhias, inércia do Silvério... Enfim, a Península, a barbárie.

Vim ajoelhar sobre o outro poial, alongando os olhos consolados por céu e monte:

— É uma beleza!

O meu Príncipe, depois de um silêncio grave, murmurou, com a face encostada à mão:

— É uma lindeza... E que paz!

Sob a janela vicejava fartamente uma horta, com repolho, feijoal, talhões de alface, gordas folhas de abóbora rastejando. Uma eira, velha e mal alisada, dominava o vale, de onde já subia tenuemente a névoa de algum fundo ribeiro. Toda a esquina do casarão desse lado se encravava em laranjal. E duma fontinha rústica, meio afogada em rosas trepadeiras, corria um longo e rutilante fio de água.

— Estou com apetite desesperado daquela água! — declarou Jacinto, muito sério.

— Também eu... Desçamos ao quintal, hem? — E passámos pela cozinha, a saber do frango.

Voltámos à varanda. O meu Príncipe, mais conciliado com o destino inclemente, colheu um cravo amarelo. E por outra porta baixa, de rigíssimas ombreiras, mergulhámos numa sala, alastrada de caliça, sem tecto, coberta apenas de grossas vigas, de onde se ergueu uma revoada de pardais.

— Olha para este horror! — murmurava Jacinto, arrepiado.

E descemos por uma lôbrega escada de castelo, tenteando depois um corredor tenebroso de lajes ásperas, atravancado por profundas arcas, capazes de guardar todo o grão duma província. Ao fundo a cozinha, imensa, era uma massa de formas negras, madeira negra, pedra negra, densas negruras de felugem secular. E neste negrume refulgia a um canto, sobre o chão de terra negra, a fogueira vermelha, lambendo tachos e panelas de ferro, despedindo uma fumarada que fugia pela grade aberta no muro, depois por entre a folhagem dos limoeiros. Na enorme lareira, onde se aqueciam e assavam as suas grossas peças de porco e boi os Jacintos medievais, agora desaproveitada pela frugalidade dos caseiros, negrejava um poeirento montão de cestas e ferramentas; e a claridade todo entrava por uma porta de castanho, escancarada sobre um quintalejo rústico em que se misturavam couves lombardas e junquilhos formosos. Em roda do lume um bando alvoroçado de mulheres depenava frangos, remexia as caçarolas, picava a cebola, com um fervor afogueado e palreiro. Todas emudeceram quando aparecemos — e dentre elas o pobre Melchior, estonteado, com o sangue a espirrar na nédia face de abade, correu para nós, jurando «que o jantarinho de suas Incelências não demorava um credo»...

— E a respeito de camas, oh amigo Melchior?

O digno homem ciciou uma desculpa encolhida «sobre enxergazinhas no chão...»

— É o que basta! — acudi eu, para o consolar. — Por uma noite, com lençóis frescos...

— Ah, lá pelos lençoizinhos respondo eu!... Mas um desgosto assim, meu senhor! A gente apanhada sem um colchãozinho de lã, sem um lombozinho de vaca... Que eu já pensei, até lembrei à minha comadre. V. Inc.ªs podiam ir dormir aos Ninhos, a casa do Silvério. Tinham lá camas de ferro, lavatórios... Ele sempre é uma leguazita e mau caminho...

Jacinto, bondoso, acudiu:

— Não, tudo se arranja, Melchior. Por uma noite!... Até gosto mais de dormir em Tormes, na minha casa da serra!

Saímos ao terreiro, retalho da horta fechado por grossas rochas encabeladas de verdura, entestando com os socalcos da serra onde lourejava o centeio. O meu Príncipe bebeu da água nevada e luzidia da fonte, regaladamente, com os beiços na bica; apeteceu a alface rechonchuda e crespa; e atirou pulos aos ramos altos duma copada cerejeira, toda carregada de cereja. Depois, costeando o velho lagar, a que um bando de pombas branqueava o telhado, deslizámos até ao carreiro, cortado no costado do monte. E andando, pensativamente, o meu Príncipe pasmava para os milheirais, para os vetustos carvalhos plantados por vetustos Jacintos, para os casebres espalhados sobre os cabeços à orla negra dos pinheirais.

De novo penetrámos na avenida de faias e transpusemos o portão senhorial entre o latir dos cães, mais mansos, farejando um dono. Jacinto reconheceu «certa nobreza» na frontaria do seu lar. Mas sobretudo lhe agradava a longa alameda, assim direita e larga, como traçada para nela se desenrolar uma cavalgada de Senhores com plumas e pajens. Depois, de cima da varanda, reparando na telha nova da capela, louvou o Silvério, «esse ralaço», por cuidar ao menos da morada do Bom Deus.

— E esta varanda também é agradável — murmurou ele, mergulhando a face no aroma dos cravos. — Precisa grandes poltronas, grandes divãs de verga...

Dentro, na «nossa sala», ambos nos sentámos nos poiais da janela, contemplando o doce sossego crepuscular que lentamente se estabelecia sobre vale e monte. No alto tremeluzia uma estrelinha, a Vénus diamantina, lânguida anunciadora da noite e dos seus contentamentos. Jacinto nunca considerara demoradamente aquela estrela, de amorosa refulgência, que perpetua no nosso Céu católico a memória da Deusa incomparável — nem assistira jamais, com a alma atenta, ao majestoso adormecer da Natureza. E este enegrecimento dos montes que se embuçam em sombra; os arvoredos emudecendo, cansados de sussurrar; o rebrilho dos casais mansamente apagado; o cobertor de névoa, sob que se acama e agasalha a frialdade dos vales; um toque sonolento de sino que rola pelas quebradas; o segredado cochichar das águas e das relvas escuras — eram para ele como iniciações. Daquela janela, aberta sobre as serras, entrevia uma outra vida, que não anda somente cheia do Homem e do tumulto da sua obra. E senti o meu amigo suspirar como quem enfim descansa.

Deste enlevo nos arrancou o Melchior com o doce aviso do «jantarinho de suas Incelências». Era noutra sala, mais nua, mais abandonada — e aí logo à porta o meu supercivilizado Príncipe estacou, estarrecido pelo desconforto, escassez e rudeza das coisas. Na mesa, encostada ao muro denegrido, sulcado pelo fumo das candeias, sobre uma toalha de estopa, duas velas de sebo em castiçais de lata alumiavam grossos pratos de louça amarela, ladeados por colheres de estanho e por garfos de ferro. Os copos, dum vidro espesso, conservavam a sombra roxa do vinho que neles passara em fartos anos de fartas vindimas. A malga de barro, atestada de azeitonas pretas, contentaria Diógenes. Espetado na côdea dum imenso pão reluzia um imenso facalhão. E na cadeira senhoreal, reservada ao meu Príncipe, derradeira alfaia dos velhos Jacintos, de hirto espaldar de couro, com a madeira roída de caruncho, a crina fugia em melenas pelos rasgões do assento poído.

Uma formidável moça, de enormes peitos que lhe tremiam dentro das ramagens do lenço cruzado, ainda suada e obraseada do calor da lareira, entrou esmagando o soalho, com uma terrina a fumegar. E o Melchior, que seguia erguendo a infusa do vinho, esperava que suas Incelências lhe perdoassem porque faltara tempo para o caldinho apurar... Jacinto ocupou a sede ancestral — e, durante momentos (de esgaseada ansiedade para o caseiro excelente), esfregou energicamente, com a ponta da toalha, o garfo negro, a fusca colher de estanho. Depois, desconfiado, provou o caldo, que era de galinha e rescendia. Provou — e levantou para mim, seu camarada de misérias, uns olhos que brilharam, surpreendidos. Tornou a sorver uma colherada mais cheia, mais considerada. E sorriu, com espanto: «Está bom...!»

Estava precioso: tinha fígado e tinha moela: o seu perfume enternecia: três vezes, fervorosamente, ataquei aquele caldo.

— Também !á volto! — exclamava Jacinto com uma convicção imensa. — É que estou com uma fome... Santo Deus! Há anos que não sinto esta fome.

Foi ele que rapou avaramente a sopeira. E já espreitava a porta, esperando a portadora dos pitéus, a rija moça de peitos trementes, que enfim surgiu, mais esbraseada, abalando o sobrado — e pousou sobre a mesa uma travessa a transbordar de arroz com favas. Que desconsolo! Jacinto, em Paris, sempre abominara favas!... Tentou todavia uma garfada tímida — e de novo aqueles seus olhos, que o pessimismo enevoara, luziram, procurando os meus. Outra larga garfada, concentrada, com uma lentidão de frade que se regala. Depois um brado:

— Óptimo!... Ah, destas favas, sim! Oh que fava! Que delícia!

E por esta santa gula louvava a serra, a arte perfeita das mulheres palreiras que em baixo remexiam as panelas, o Melchior que presidia ao bródio...

— Deste arroz com fava nem em Paris, Melchior amigo!

O homem óptimo sorria, inteiramente desanuviado:

— Pois é cá a comidinha dos moços da quinta! E cada pratada, que até suas Incelências se riam... Mas agora, aqui, o Sr. D. Jacintô, também vai engordar e enrijar!

O bom caseiro sinceramente cria que, perdido nesses remotos Parises, o Senhor de Tormes, longe da Fartura de Tormes, padecia fome e minguava... E o meu Príncipe, na verdade, parecia saciar uma velhíssima fome e uma longa saudade da abundância, rompendo assim, a cada travessa, em louvores, mais copiosos. Diante do louro frango assado no espeto e da salada que ele apetecera na horta, agora temperada com um azeite da serra digno dos lábios de Platão, terminou por bradar: «É divino!» Mas nada o entusiasmava como o vinho de Tormes, caindo de alto, da bojuda infusa verde — um vinho fresco, esperto, seivoso, e tendo mais alma, entrando mais na alma, que muito poema ou livro santo.

Mirando, à vela de sebo, o copo grosso que ele orlava de leve espuma rósea, o meu Príncipe, com um resplendor de optimismo na face, citou Virgílio:

— *Quo te carmina dicam, dicam, Rethica?* Quem dignamente te cantará, vinho amável destas serras?

Eu, que não gosto que me avantagem-em saber clássico, espanejei logo também o meu Virgílio, louvando as doçuras da vida rural:

— *Hanc olim veteres vitam coluere Sabini...* Assim viveram os velhos Sabinos. Assim Rómulo e Remo... Assim cresceu a valente Etrúria. Assim Roma se tornou a maravilha do mundo!

E imóvel, com a mão agarrada à infusa, o Melchior arregalava para nós os olhos em infinito assombro e religiosa reverência.

CAMILO CASTELO BRANCO
(1825-1890)

É quase impossível traçar um perfil de Camilo em duas ou três páginas. Ele é o escritor mais fecundo, patético e absorvente da literatura portuguesa: pela massa de leitura que deixou, pela variedade e vigor da sua obra, pelo nervo e abundância do seu estilo. Mas principalmente por uma vida enredada e trágica, cujos lances romanescos se tornaram lendários. Camilo teve o condão de imolar o seu infeliz destino à tinta de escrever. E, quer contando-se às claras — como nas Memórias do Cárcere, No Bom Jesus do Monte *e em tantos outros livros —, quer insinuando no perfil de galãs e heroínas a sua própria silhueta e a sombra das mulheres que amou, criou uma autobiografia intermitente, como que irresistivelmente brotada dos lances da novela entre mãos, que é um dos ingredientes da sua aura incomparável, mais viva talvez que a de Camões.*

Com efeito, o português procura em Camilo mais alguma coisa do que intrigas novelescas, erudição amena ou polémica. Poucos romances do escritor andam aturados na leitura: o Amor de Perdição, A Brasileira de Prazins *e* Eusébio Macário; *poucos mais. Acontece mesmo que alguns dos melhores, como* A Queda de um Anjo, O Santo da Montanha, o Bem e o Mal *e* A Caveira da Mártir, *se afogaram no* mare magnum *das obras completas do autor, hoje quase que só pasto de curiosidade bibliográfica e mórbida: o camilianismo, que à parte alguns dedicados e conscienciosos pioneiros, é quase só um movimento e uma confraria de coleccionadores.*

O segredo da permanente sedução de Camilo está no seu casticismo irresistível, em que o estilo vernáculo é muito menos importante do que o estilo sentimental (a maneira ou modo de amar e sentir), feito de obstinação, de fogo, de meiguices angélicas e de absurdas violências.

Ramalho Ortigão, que tinha um fino senso crítico, permeável às notas recessivas e étnicas, chamou a Camilo um homem do sarcasmo peninsular, um «neto

195

de Quevedo» e dos picarescos. Com efeito, Camilo preza-se da sua singularidade passional, dos seus desmandos sentimentais de marido precoce e ausente do lar, estudante à custa do sogro, binubo irreflectido, cúmplice de adultério e raptor. Preso na cadeia da Relação do Porto, o seu primeiro gesto é devassar os arquivos até tirar do registo da prisão de um tio, Simão Botelho, uma pungente história de amantes de Verona em que transpõe e sublima as suas desgraças de amor com Ana Plácido: o Amor de Perdição.

Órfão de mãe com menos de dois anos, órfão de pai com dez, é criado por uma tia, que o avisa do fado inexorável que pesa sobre a família. Como nas histórias tenebrosas de meninos enteados, passa de Lisboa ao Porto no beliche de um veleiro, do Porto a Vila Real de Trás-os-Montes, de Vila Real à Samardã. Aí se cria com lobos fugidos à neve, em Vilarinho, e com um tio padre que o novelista não se cansará de modelar. Casa e descasa, foge à família, vai e vem, estuda preparatórios médicos no Porto e dá mocadas em rivais à saída do teatro lírico. E sobre tudo isto, o calvário da letra-de-forma sob as mais variadas espécies: o jornaleco de província, o órgão político ou religioso, o folheto, o almanaque, o livro, as novelas em fascículos de série, como essas belas, algumas modelares, Novelas do Minho, *e a literatura intrigada e conversada que são, por exemplo, os* Serões de São-Miguel-de-Seide *(o lugar de suplício do marido trágico, do pai do filho louco e do penitenciário da pena).*

De todas estas vicissitudes, e de muitas mais, Camilo fez uma obra irregular e profusa, que apaixona pela própria variedade anárquica (biografia, novela tratadinho, contos, drama, versos, elogio histórico), Sentimentalismo e História, Cavar em Ruínas... *— títulos reveladores de uma substância una e única através de centenas de espécies bibliográficas e de centenas de milhares, senão de milhões de páginas de todos os formatos e tipos. Essa substância é a vida de um homem rebelde, com uma ponta de génio e uma consciência moral tenebrosamente lúcida mas desgraçadamente contrastante: vida que passa imediatamente do facto à palavra: de um adultério real a um romance de amantes de Verona, por exemplo.*

As mulheres das novelas de Camilo são como flores numa sarça. Ao anjo romântico, à mulher um pouco convencional que o «brasileiro» requesta e o pai tripeiro encarcera para a tirar ao «leão» apaixonado, opõe-se a aldeã, a flor das fragas, a rapariga escorolada e virgem, a menina de sonho e de gaze das pequenas cidades e vilas do Norte: Lamego, Viseu, Vila Real, Guimarães, Fafe, Famalicão, — que tratam os namoros por «primos» e os progenitores por «senhor pai»...

É desse carregado ou ligeiro arcaísmo social e erótico que é feito o encanto das páginas romanescas de Camilo. É essa virgindade perdida no recesso da terra castiçamente portuguesa o que o leitor de ontem e de hoje procura nos «oitavos» de percalina da edição camiliana da Travessa da Queimada. Isso, ou então a sátira

196

desbragada, a polémica que desce à descompostura soez, a propósito de tudo e de nada: um nobiliário, uma bula, uma argalha. Camilo é pois uma encruzilhada na história da literatura e do temperamento português. Representa o gosto da violência e da má-criação verbal encarnadas no começo do século XIX por José Agostinho de Macedo, o P.^e Lagosta; e representa a diafaneidade sentimental, o portuguesismo lealista e honrado, amigo de romarias, de cidades mortas na paz dos forais e das tendas de ferradores que lhes marcam os arredores — em suma, de tudo quanto é velho, teimoso e triste na terra portuguesa.

É difícil falar de Camilo em termos puramente críticos — pelo menos enquanto se não ultrapassar a curiosidade camilianista, amontoadora insaciável de bagatelas e pormenores, e se não submeterem as obras do grande escritor a uma análise sagaz e difícil.

[UMA EMBOSCADA NA BEIRA]

À s dez horas e meia da noite daquele dia, três vultos convergiram para o local, raro frequentado, em que se abria a porta do quintal de Tadeu de Albuquerque. Ali se detiveram alguns minutos discutindo e gesticulando. Dos três vultos havia um, cujas palavras eram ouvidas em silêncio e sem réplica pelos outros. Dizia ele a um dos dois:

— Não convém que estejas perto desta porta. Se o homem aparecesse aqui morto, as suspeitas caíam logo sobre mim ou meu tio. Afastem-se vocês um do outro, e tenham ouvido apli cado ao tropel do cavalo. Depois apressem o passo até o encontrarem, de modo que os tiros sejam dados longe daqui.

— Mas... — atalhou um — quem nos diz que ele veio ontem a cavalo, e hoje vem a pé?

— É verdade! — acrescentou o outro.

— Se ele vier a pé, eu lhes darei aviso para o seguirem depois até o terem a jeito de tiro, mas longe daqui, percebem vocês? — disse Baltasar Coutinho.

— Sim, senhor; mas se ele sai de casa do pai e entra sem nos dar tempo?

— Tenho a certeza de que não está em casa do pai, já lho disse. Basta de palavriado. Vão esconder-se atrás da igreja, e não adormeçam.

Debandou o grupo, e Baltasar ficou alguns momentos encostado ao muro. Soaram os três quartos depois das dez. O de Castro Daire colou o ouvido à porta e retirou-se aceleradamente, ouvindo o rumor da folhagem seca que Teresa vinha pisando.

Apenas Baltasar, cosido com o muro, desaparecera, um vulto assomou do outro lado a passo rápido. Não parou: foi direito a todos os pontos onde uma sombra podia figurar um homem. Rodeou a igreja que estava a duzentos passos de distância. Viu os dois vultos direitos com o recanto que formava a junção da capela-mor, e sobre a qual caíam as sombras da torre. Fitou-os de passagem, e suspeitou: não os conheceu, mas eles disseram entre si, depois que ele desaparecera:

— É o João da Cruz, ferrador, ou o diabo por ele!...

— Que fará a esta hora por aqui?

— Eu sei!

— Não desconfias que ele entre nisto?

— Agora! se entrasse era por nós. Não sabes que ele foi mochila do nosso amo?

— E também sei que pôs a loja com o dinheiro do Senhor Baltasar.

— Pois então que medo tens?

— Não há medo; mas também sei que foi o corregedor que o livrou da forca...

— Isso que tem! O corregedor não se importa com isto, nem sabe que o filho cá está...

— Assim será; mas não estou muito contente... Ele é homem dos diabos...

— Deixá-lo ser... tanto entram as balas nele como noutro...

A discussão continuou sobre várias conjecturas. De tudo o que eles disseram uma coisa era certíssima: ser o vulto o João da Cruz, ferrador.

Teria este dado trezentos passos, quando os criados de Baltasar ouviram o remoto tropel da cavalgadura.

Ao tempo que eles saíam do seu esconderijo, saía João da Cruz à frente do cavaleiro. Simão aperrou as pistolas, e o arreeiro uma clavina.

— Não há novidade — disse o ferrador — mas saiba vossa senhoria que já podia estar em baixo do cavalo com quatro zagalotes no peito.

O arreeiro reconheceu o cunhado, e disse:

— És tu, João?

— Sou eu. Vim primeiro que tu.

Simão estendeu a mão ao ferrador, e disse, comovido:

— Dê cá a sua mão; quero sentir na minha a mão de um homem honrado.

— Nas ocasiões é que se conhecem os homens — redarguiu o ferrador. — Ora vamos... não há tempo para falatório. O senhor doutor tem uma espera.

— Tenho? — disse Simão.

— Atrás da igreja estão dois homens que eu não pude conhecer; mas não se me dava de jurar que são criados do Senhor Baltasar. Salte abaixo do cavalo, que há-de haver mostarda. Eu disse-lhe que não viesse; mas vossa senhoria veio, e agora é andar com a cara para a frente.

— Olhe que eu não tremo, mestre João — disse o filho do corregedor.

— Bem sei que não; mas à vista do inimigo, veremos.

Simão tinha apeado. O ferrador tomou as rédeas do cavalo, recuou alguns passos na rua, e foi prendê-lo à argola da parede de uma estalagem.

Voltou, e disse a Simão que o seguisse a ele e ao cunhado na distância de vinte passos; e que, se os visse parar perto do quintal de Albuquerque, não passasse do ponto donde os visse.

Quis o académico protestar contra um plano, que o humilhava como protegido pela defesa dos dois homens; o ferrador, porém, não admitiu a réplica.

— Faça o que eu lhe digo, fidalgo — disse ele com energia.

João da Cruz e o cunhado, espiando todas as esquinas, chegaram defronte do quintal de Teresa, e viram um vulto a sumir-se no ângulo da parede.

— Vamos sobre eles — disse o ferrador — que lá passaram para o adro da igreja; nestes entrementes, o doutor chega à porta do quintal e entra; depois voltaremos para lhe guardar a saída.

Neste propósito, moveram-se apressados e Simão Botelho caminhou com as pistolas aperradas na direcção da porta. Em frente do muro do jardim de Teresa havia uma cascalheira escarpada, que se esplainava depois numa alameda sombria.

Os dois criados de Baltasar, quando o tropel do cavalo parou, recordaram as ordens do amo no caso de vir a pé Simão. Buscaram sítio asado para o espreitarem na saída, e entraram na alameda quando o académico chegava à porta do quintal.

— Agora está seguro — disse um.

— Se lá não ficar dentro... — respondeu o outro, vendo-o entrar, e fechar-se a porta.

— Mas além vêm dois homens... — disse o mais assustado, olhando para a outra entrada da alameda.

— E vêm direitos a nós... Aperra lá a clavina...

— O melhor é retirarmos. Nós estamos à espera do outro, e não destes. Vamos embora daqui...

Este não esperou convencer o companheiro: desceu a ribanceira do cascalho. O mais intrépido teve também a prudência de todos os assassinos assalariados: seguiu o assustadiço, e deu-lhe razão, quando ouviu após de si os passos velozes dos perseguidores. Saiu-lhes o amo de frente, quando dobravam a esquina do quintal e disse-lhes:

— Vocês a que fogem, seus poltrões?

Os homens pararam envergonhados, aperrando os bacamartes.

202

João da Cruz e o arrieiro apareceram, e Baltasar caminhou para eles, bradando:

— Alto aí!

O ferrador disse ao cunhado:

— Fala-lhe tu, que eu não quero que ele me conheça.

— Quem manda fazer alto? — disse o arrieiro.

— São três clavinas — respondeu Baltasar.

— Olha se os demoras a dar tempo que o doutor saia — disse João da Cruz ao ouvido do arrieiro.

— Pois nós cá estamos parados — replicou o criado de Simão.

— Que nos querem vocês?

— Quero saber o que têm que fazer neste sítio.

— E vocês que fazem por cá?

— Não admito perguntas — disse o de Castro Daire, aventurando alguns passos vacilantes para a frente. — Quero saber quem são.

Mestre João disse ao ouvido do cunhado:

— Dize-lhe que se dá mais um passo que o arrebentas.

O arrieiro repetiu a cláusula, e Baltasar parou.

Um dos criados deste chamou-o ao lado para lhe dizer que aquele dos dois, que não falava, parecia ser o João da Cruz. O morgado duvidou, quis esclarecer-se; mas o ferrador ouvira as palavras do criado, e disse ao cunhado:

— Vem comigo, que eles conhecem-me.

Dizendo, voltou as costas ao grupo, e caminhou ao longo do quintal de Tadeu de Albuquerque. Os criados de Baltasar, gloriosos da retirada, como de uma derrota certa, apressaram o passo na cola dos supostos fugitivos. O morgado ainda lhes disse que os não seguissem; mas eles, momentos antes cobardes, queriam desforrar-se agora, correndo após o inimigo tanto quanto lhe tinham fugido antes.

Simão Botelho ouvira passos ligeiros, e, compelido pelo susto de Teresa, abrira a porta do quintal, sem saber ainda de quem fossem os passos. João da Cruz, com ar galhofeiro já quando os perseguidores se viam, disse ao filho do corregedor, se estava ajustado o casamento, que não havia pano para mangas.

Simão entendeu o perigo, apertou convulsamente a mão de Teresa, e retirou-se. Queria ele reconhecer os dois vultos parados a distância; mas João da Cruz, com o tom imperioso de quem obriga à submissão, disse ao filho do corregedor:

— Vá por onde veio, e não olhe para trás.

Simão foi indo até encontrar o cavalo. Montou, esperou os dois inalteráveis guardas que seguiam a passo vagaroso. Maravilhara-os o súbito desaparecimento dos criados de Baltasar, e recearam-se de alguma espera fora da cidade. O ferrador conhecia o atalho que podia levar os da emboscada ao caminho, e revelou o seu receio a Simão, dizendo-lhe que picasse a toda a brida, que ele e o cunhado lá iriam ter. O académico recebeu com enfado a advertência, admoestando-os a que o não tivessem em tão vil preço. E acintemente sofreou as rédeas, para não forçar os homens a aligeirar o passo.

— Vá como quiser — disse mestre João — que nós vamos por fora do caminho.

E subiram a uma rampa de olivais, para tornarem a descer encobertos por moitas de giestas, cosendo-se aos torcícolos duma parede paralela com a estrada.

— O atalho vai acolá onde a serra faz aquele cotovelo — disse o ferrador ao cunhado — hão-de ali passar, ou já passaram. A estrada vai mesmo na quebrada daquele outeirinho. Os homens é dali que lhe vão atirar, encobertos pelos sobreiros. Vamos depressa...

E um pouco descobertos, e outras vezes curvados à sombra das devesas, chegaram a um valado donde ouviram os passos dos dois homens que atravessavam o pontilhão de um córrego.

— Já não vamos a tempo — disse aflito o João da Cruz — os homens vão atirar-lhe, porque o cavalo trota cá muito atrás.

E corriam já sem temor de serem vistos, porque os outros tinham dobrado o outeiro, em cujo vame corria a estrada.

— Os homens vão atirar-lhe... — disse o ferrador.

— Gritemos daqui ao doutor que não vá para diante.

— Já não é tempo... Ou o matem ou não matem, quando voltarem são nossos.

Tinham já passado o pontilhão, e subiam a ladeira quando ouviram dois tiros.

— Arriba! — exclamou João da Cruz — que não vão eles meter-se à estrada, se matarem o fidalgo.

Tinham vencido a chã, esbofados e ansiados, com as clavinas aperradas. Os criados de Baltasar, ao invés da conjectura do ferrador, retrocediam pelo mesmo atalho, supondo que os companheiros de Simão iam adiante batendo os pontos asados à emboscada, ou se tinham retardado.

— Eles aí vêm! — disse o arrieiro.

— Nós cá estamos — respondeu o ferrador, sentando-se a coberto de um cômoro. — Senta-te também, que não estou para ir a correr atrás deles.

Os assassinos, a dez passos, viram de frente erguerem-se os dois vultos, e ladearam cada qual para o seu lado, um galgando os socalcos de uma vinha, o outro atirando-se a uns silveirais.

— Atira ao da esquerda! — disse João da Cruz.

Foram simultâneas as explosões. A pontaria do ferrador fez logo um cadáver, os balotes do arrieiro não estremaram o outro entre o carrascal onde se embrenhara.

A este tempo assomava Simão no teso donde lhe tinham atirado, e corria ao ponto onde ouvira os segundos tiros.

— É vossa senhoria, fidalgo? — bradou o ferrador.

— Sou.

— Não o mataram?

— Creio que não — respondeu Simão.

— Este desalmado deixou fugir o melro — tornou João da

Cruz — mas o meu lá está a pernear na vinha. Sempre lhe quero ver as trombas...

O ferrador desceu os três socalcos da vinha, e curvou-se sobre o cadáver, dizendo:

— Alma de cântaro, se eu tivesse duas clavinas não ias sozinho para o inferno.

— Anda daí! — disse o arrieiro — deixa lá esse diabo, que o senhor doutor está ferido num ombro. Vamos depressa que está o sangue a escorrer-lhe.

— Eu vi duas cabeças a espreitarem-me de cima da ribanceira, e cuidei que eram vocês — disse Simão, enquanto o ferrador, com a destreza de hábil cirurgião, lhe enfaixava com lenços o braço ferido. — Parei o cavalo, e disse: «Olé, há novidade?» Logo que me não responderam, saltei para terra; mas ainda eu tinha o pé no estribo quando me fizeram fogo. Quis saltar à ribanceira, mas não pude romper o mato. Dei uma volta grande para achar subida, e foi então que dei fé de estar ferido...

— Isto é uma arranhadura — disse João da Cruz — olhe que eu sei disto, fidalgo! Estou afeito a curar muitas feridas.

— Nos burros, mestre João? — disse o ferido, sorrindo.

— E nos cristãos também, senhor doutor. Olhe que houve em Portugal um rei que não queria outro médico senão um alveitar. Hei-de mostrar-lhe o meu corpo, que está uma rede de facadas, e nunca fui ao cirurgião. Com cerote e vinagre sou capaz de ir ressuscitar aquela alma do diabo que ali está a escutar a cavalaria.

Nisto ouviu-se um leve rumor de folhagem no matagal para onde tinha saltado o companheiro do morto.

João da Cruz, como galgo de fino olfato, fitou a orelha e resmungou:

— Querem vocês ver que elas se armam!... Dar-se-á caso que o outro ainda esteja por ali a tremer maleitas?...

O rumor continuou, e logo um bando de pássaros rompeu dentre a folhagem chilreando.

— O homem está ali — tornou o ferrador. — Passe-me cá uma pistola, senhor Simão!

Correu mestre João, e ao mesmo tempo uma grande rostilhada se fez entre as moitas de codeços e urzes.

— Ele estrinça lenha como um porco do monte! — exclamou o ferrador. — Ó cunhado, bate este mato com alguns penedos; quero ver sair o javali da moita!...

Para o outro lado da bouça estava um plaino cultivado. Simão, rodeando a sebe, conseguira saltar ao campo por sobre a pedra dum agoeiro.

— Tenha lá· mão, mestre: não vá você atirar-me! — bradou Simão ao ferrador.

— Pois o fidalgo já aí anda?! Então já fechado o cerco. Eu cá vou fazer de furão. Se este nos escapa, não há nada seguro neste mundo!

Não se enganaram. O criado de Baltasar Coutinho quando se atirara desamparado à brenha, deslocara um joelho, e caíra atordoado. O arrieiro não examinou o efeito do tiro, porque atirara à aventura, e achava natural que o fugitivo se não molestasse. Quando volveu a si do aturdimento da queda, o homem arrastou-se até encontrar um cerrado de árvores silvestres, em que pernoitava a passarinhada. Como os melros cacarejassem, esvoaçando, o criado de Baltasar retrocedeu para o mato, cuidando que ali escaparia; mas o arrieiro jogava enormes calhaus em todas as direcções, e alguns acertavam mais que as balas do seu bacamarte. João da Cruz tirou do bolso da jaqueta um podão, e começou a cortar a selva de carvalhas novas e giestais que se emaranhavam em redor do esconderijo. Já cansado, porém, e vendo o pouco fruto do trabalho, disse ao arrieiro:

— Petisca lume, vai ali dentro buscar um pouco de restolho

seco, e vamos pegar fogo ao mato, que este ladrão há-de morrer assado.

O perseguido, quando tal ouviu, tirou do maior perigo coragem para fugir, rompendo a espessura e saltando a parede da tapada para o campo de restolho em que o arrieiro andava apanhando palha, e Simão esperava o desfecho da montaria. Correram a um tempo o arrieiro e o académico sobre ele. O fugitivo, sentindo-se alcançado, lançou-se de joelhos e mãos erguidas, pedindo perdão e dizendo que o amo o obrigara àquela desgraça. Já a coronha do bacamarte do arrieiro lhe ia direita ao peito, quando Simão lhe reteve o braço:

— Não se bate assim num homem ajoelhado — disse o moço.

— Levanta-te, rapaz!

— Eu não posso, senhor. Tenho uma perna quebrada, e estou aleijado para a minha vida.

Neste comenos, chegou o ferrador, e exclamou:

— Pois esse tratante ainda está vivo?

E correu sobre ele com o podão.

— Não mate o homem, senhor João! — disse o filho do corregedor.

— Que o não mate! essa é de cabo de esquadra! Com que então o fidalgo quer pagar-me com a forca o favor de o acompanhar... hem?

— Com a forca!? — atalhou Simão.

— Pudera não! Quer que este homem fique para ir contar a história? Acha bonito? Lá vossa senhoria, como é filho de ministro, não terá perigo; mas eu, que sou ferrador, posso contar que desta vez tenho o baraço no pescoço. Não me faz jeito o negócio. Deixe-me cá com o homem...

— Não o mate, senhor João; peço-lhe eu que o deixe ir. Uma testemunha não nos pode fazer mal.

— O quê! — redarguiu o ferrador — vossa senhoria é doutor, saberá muito, mas de justiça não sabe nada, e há-de perdoar o meu atrevimento. Basta uma só testemunha para guiar a justiça na devassa. Às duas por três, uma testemunha de vista, e quatro de ouvir dizer, com o fidalgo de Castro Daire a mexer os pausinhos, é forca certa, como dois e dois serem quatro.

— Eu não digo nada; não me matem, que eu não torno a ir para Castro Daire — exclamou o homem.

— Deixe-o ficar, João da Cruz... vamos embora...

— Isso! — acudiu o ferrador — chame-me João da Cruz!... para este maroto ficar bem certo de que sou o João da Cruz!... Com efeito, não sei o que me parece vossa senhoria querer deixar com vida um alma do diabo que lhe deu um tiro para o matar.

— Pois sim, tem você razão; mas eu não sei castigar miseráveis que me não resistem.

— E, se ele o tivesse matado, castigava-o? Responda a isto, senhor doutor.

— Vamos embora — tornou Simão — deixemos para aí esse miserável.

Mestre João cismou alguns momentos, coçando a cabeça, e resmungou com descontentamento:

— Vamos lá... Quem o seu inimigo poupa, nas mãos lhe morre.

Tinham já saído do plaino e saltado a tapada, e iam descendo para a estrada, quando o ferrador exclamou:

— Lá me ficou a minha clavina encostada à sebe. Vão indo que eu venho já.

O arrieiro conduzia o cavalo, que pacificamente estivera tosando a relva das paredes marginais da estrada, quando Simão ouviu gritos. Conjecturou com certeza o que era.

— O João lá está a fazer justiça! — disse o arrieiro. — Deixá-lo lá, meu amo, que ele é homem que sabe o que faz.

João da Cruz apareceu daí a pouco, limpando com fetos o podão ensanguentado.

— Você a cruel, senhor João — disse o académico.

— Não sou cruel — disse o ferrador — o fidalgo está enganado comigo; é que diz lá o ditado: morrer por morrer, morra meu pai que é mais velho. Tanto faz matar um como dois. Quando se está com a mão na massa, tanto faz amassar um alqueire não se meter a gente nelas. Agora, levo a minha consciência sossegada. A justiça que prove, se quiser; mas não há-de ser porque lho digam aqueles dois que mandei de presente ao diabo.

Simão teve um instante de horror do homicida, e de arrependimento de se ter ligado com tal homem.

AQUILINO RIBEIRO

Aquilino Ribeiro é um beirão da alta Beira Alta, das comarcas do Paiva, — Terras do Demo (como diz um dos seus títulos de livro(— tributárias de uma região mais vasta e historicamente mais profunda — a terra Lamecense, fronteira de Trás-os-Montes e das Beiras, do Portugal ameno e fácil dos vales atlânticos e do Portugal montesinho e duro dos contrafortes continentais.

A obra de Aquilino exprime vigorosamente a condição humana nessas zonas alpestres em que nada é fácil. As aldeias endurecem-se nos séus alicerces seculares, acumulando a experiência do Inverno da neve e do lobo, e do Verão da trovoada e da canícula. O instinto, raiz da vida, dita uma conduta empírica, primária, em que os sentimentos afloram com violência e frescura.

O mundo do serrano é prodigioso de astúcia e de tenacidade. O Beirão tem o sentido épico da terra, que se exprime no apego às próprias jeiras, em que empenha o suor e o sangue, e se expande na vida tumultuosa e alegre de feiras e de arraiais. Essa vida pulsa na obra de Aquilino Ribeiro como o motivo central de uma sinfonia de largo desdobramento, ou então como o fundo de um políptico anedótico, de muitas tábuas, em que os serranos se agrupam para representar o seu drama e a sua farsa e perderem-se de novo nas abas da Serra, que os domina e subjuga como uma mãe e um génio mau.

Jardim das Tormentas (1913), num friso de contos vigorosos, foi a estreia do escritor. Aí concorrem os temas cultos e os temas rurais, tratados com um estilo que refez todas as experiências literárias do século XIX — romantismo, realismo, até o Parnaso e o simbolismo —, conciliando-as com a arte de narrar dos picarescos espanhóis e dos pregadores e místicos portugueses do século XVII. Um humanismo curioso e céptico repassa esse estilo, que o primeiro romance de Aquilino afina e fixa. A Via Sinuosa é o descaminho de um adolescente, Libório Barradas, que faz o trajecto da sua aldeia conventual ao limiar de Babilónia, guiado pelo instinto serrano e pelos conselhos de um padre-mestre bondoso e humanista. O desvio de Libório só é verdadeiramente desvio na medida em que o rapaz atraiçoa as suas raízes étnicas desprendendo-se da terra e dos seus. Esse momento de indecisão na luta entre duas forças — a aldéia maternal representada pelo amor de Celidónia, a cidade-serpentina dos braços de D.Estefânia — é um forte momento de romance, dado com sobriedade e boa motivação. A figura de Fome-Negra, o avarento Oue se recusa a custear os estudos do sobrinho, é poderosamente desenhada.

As Terras do Demo trazem a arte narrativa de Aquilino Ribeiro ao centro da aldeia serrana, já sem a atenuante de bonomia culta de Pe. Ambrósio e dos problemas de uma adolescência intelectualizada, fronteiriça à aldeia e à cidade. Ali os personagens são emanações da terra, relevos puxados mais a primeiro plano de uma figuração de presépio em que interessa mais ao escritor a animalidade de comparsas com Mioma e o João Bispo do que a fina e subtil malha de um agir psicológico que quase não tem lugar em reacções tão brutescas. Por isso o vulto da Serra, as suas estações, os seus trilhos, lobos e nevões dominam as Terras do Demo, como paganizam as páginas de Andam Faunos pelos Bosques.

O Malhadinhas, a história de um almocreve contada por ele mesmo (Estrada de Santiago) é, por assim dizer, o solo nevolístico pedido por um fresco descritivo e simbólico como as Terras do Demo. Na verdade, o personagem parece projectar a sua bizarra humanidade sobre a gentinha daquele livro. O Malhadinhas é, efectiva e realmente, recoveiro das Terras do Demo. Lábia, finura, capacidade de espera e de sofrimento, rasgos de generosidade e maus impulsos, sentimento pitoresco da vida, revolta e arrogância nas lutas da concorrência, uma final e filosófica docilidade à vida e ao destino, tudo se funde na alma deste almocreve falador, que conta a sua história sentado à porta de casa, junto de um «frade» de pedra, conferindo a si próprio a dignidade do herói da aldeia e do marco dos caminhos.

Aquilino é mestre na arte do conto que vive de uma perpécia intensa num quadro traçado com o vigor e a solidez do realismo, animado por uma linguagem pitoresca, por uma frase involutiva, por ritmos ora solenes ora bruscos, cheios de majestade e violência. Esta arte do conto, ampliada, dá o painel: rústico e bárbaro nas Terras do Demo, marítimo e messiânico em A Batalha sem Fim (a obsessão de uns pescadores em torno de um suposto tesouro enterrado na areia), taumatúrgico e satírico em S. Banaboião Anacoreta e Mártir, heróico em A Aventura Maravilhosa (D. Sebastião e batalha de Alcácer).

É uma concepção épica da terra e do homem que leva Aquilino paralelamente à dimensão épica do livro e ao surto épico do estilo. A sua arte de narrar situa-se entre o Decameron e a novela picaresca. Do conto e do romance realistas aproveitará apenas lineamentos, virtuosidades de composição e de estilo. A peripécia

212

envolvente e atmosférica do romance psicológico não é a peripécia de Aquilino, muito mais próximo parente do Flaubert de Salambo, de Eça de Queirós da Relíquia ou do Anatole France de Thais do que dos romancistas ingleses.

A sua galeria de tipos, o retomado e 'empre novo painel que nos dá da Serra da Estrela e dos vales beirões, a força e j cundidade da sua prosa castiça, que fala portuguesmente de tudo o que é português, impõem-no como um dos nossos maiores escritores e dos mais bem situados nas nossas estantes clássicas, de Gil Vicente e Fernão Lopes a Vieira e Camilo.

[A SERRA BEIRÃ]

Ão há trabalhos sem trabalhos, é tão certo como uma Escritura, mas deixasse-me hoje o Pai do Céu tornar à minha mocidade, que eu pegava logo do meu ofício e não de outro, inda que fosse o do nosso abade, que leva a vidinha a cantar, ou o do Heitor boticário que de uma pipa de água fabrica um lagar de dinheiro. Morte mate, se pegava de outro! Muitas vezes ouvi dizer a Fr. Joaquim das Sete Dores... — Vossorias já não conheceram — era irmão da ordem de S. Domingos e andava ao peditório de terra em terra para o colégio de fradinhos da Fraga, com um rucilho tropiqueiro, convidando as boas donas, a troco de chouriço, naco de presunto, cereais ou frutas, com ossos dos santos mártires, lascas do Santo Lenho, pingo de água do Jordão, ou pó para matar as pulgas — pois a Fr. Joaquim das Sete Dores, muitas vezes ouvi dizer: Arrieiro no tarde chora por arrieiro, nanja por cavaleiro. Só agora, mais dias menos dia com o Viático a badalar-me à porta, é que vim ao fundamento de tal sentença. Choro pela minha vida de almocreve, e dessem-me hoje o macho, voltassem as minhas pernas e a boa disposição, com dias prandes ou noites sem fim, não se furtava o filho do meu pai a recomeçar o fadário por Franças e Araganças. Mas ao tempo, o meu pensar era outro, e tinha às vezes batidas com o frade, mais puxadas que léguas das velhas.

Uma vez, lembra-me como se fosse ontem, aconteceu-me tropeçar com ele na Serra da Lapa, vinha eu das Antas, a meio de desertos que são o purgatório do passageiro, penedos mais penedos, tão espantosos, como devem ser a espiar as almas as mil carrancas do Diabo. Caía neve, uma nevasca, Deus nos acuda, tão baça e emaçarocada, que o céu era mais tapado que um capuz, e ceguinha de gota serena a terra inteira. Apagara-se de todo o lume do atalho e eu largava corda bamba ao macho que, embora pouco trilhado daqueles caminhos, melhor os palpitaria que eu. Também o cão do vento, bufando de frente, chapava-me nos olhos com tais manchocas de neve que não havia remédio senão fechá-los.

Eu praguejava, como é próprio de gente pouco habituada a rezar:

— Raios partam a minha vida, não me fazer meu pai fidalgo! Se mil diabos me levassem mai-la cadela da sorte!...

— Companheiro, — disse-me então Fr. Joaquim das Sete Dores, no azemel, toque, toque, atrás de mim, tão enfarinhado que só a coca do capuz guardava um arzinho de negro — não blasfemes, que Deus está a ouvir-nos e, se quiser, pode muito bem sepultar-nos debaixo da neve como sepultou os egipcianos no mar das Arábias. Não sabes o que dizes. Todas as vidas não são piores nem melhores, ela por ela. São vida e basta!

— Em boa hora sai V.ª R.ª com o sermonário — respondi eu. — Porventura, a condição dos escrivães, de cadeira, a cardar desavindos; a dos padres a comer os dízimos e, lá de quando em quando, a louvar no Breviário ao criador dos melros, pode ser comparável a esta safadeza de vida, raçoar de seco, dormir quando Deus quer, às vezes torricado do sol, outras molhado pingando, como desta feita, que até já levo uma alagoa no umbigo?! Outra porta, que aqui mora um surdo!

— António, — tornava ele, tangendo rijo a bestiaga para aparceirar com o machinho, que era andeiro —, o teu entendimento anda mal ensinado. O bicho homem, quem quer que seja e o quer que faça, tem sempre consigo a mesma peçonha. E esta peçonha sabes o que é? É o nunca estar contente com a sua vida, quanto mais tem mais apetece, desejar para aborrecer, aborrecer-se da vida a desejar.

— Assim será. Cá eu, franqueza, franquezinha, antes queria ser o fidalgo da quinta da Ucha, boa brasa aos pés, bons bifes na mesa, boas fêmeas para o gozo, que ser o pilorda que aqui vai por baixo duma nevasca, Anjo Bento, que já se afigura que deu doença ao céu.

— Sim, lá horas por horas até Cristo as trocaria e mais era Deus, a julgar pelas palavras ditas no Horto das Oliveiras: Pai, se é possível, passai de mim esta cális! Que queres, a fruta mais saborosa tem caroço no meio. Mas vida por vida não vale a pena trocar. O fidalgo, que tu tanto invejas, não será uma vez nem duas que, ao ver-te seguir de rotina, rabeiro pelos ombros, a assobiar descuidado diante do macho, não sinta ganas de te estar na pele. A neve que agora te aflige é para ele o enfado que, quando mal se precata, o toma de sua cortesania os cuidados de sua fazenda, os percalços da sua honra. Podes crer, caem nevadas em todas as vidas e em todas as condições, tanto na do homem de leis, como do rico ou do frade. Sabes o que é preciso ter?

— Paciência tenho e de mais. Ainda ontem um bandalho me chamou ladrão e não lhe saquei as tripas ao sol.

— Fizeste bem. Dos pacientes é o reino dos céus.

— Então tenho um lugar à mão direita de Deus Padre.

— Não digo que não, e já que essa virtude te não falta, vai mais devagar, que o meu burrinho não aguenta.

Sofreei o macho. Caía neve, se Deus a dava, em ralão, em grandes flocos, às mãos cheias, assim à tola como semente lançada aos campos por mão de mau semeador. Nascera a lua, uma cara bochechuda de estalajadeira à espreita, lá do fundo da casa, para os lençóis de linho com que faz a cama aos viandantes. E o mundo desaparecia sob o lençol puríssimo, lençol que, batido às vezes por uma refrega de vento, deixava a nu pedações da terra e do mato, sujos e negros como montes de esterco mal cobertos da vessada.

Não era desta neve que doba mansa do céu e parece, vailando, o esflorar das pereiras na Primavera; era a neve ladroa — como para aí lhe chamam —, a neve das moscas brancas que voltejam, giram, rodopiam, vêm de trás, de diante, de baixo, dos lados, se metem por todas as fendas à busca de carne viva em que ferrar. Soprava-lhes o nordeste, o grande bufador, e era vê-las de asas ligeiras, enchendo o céu, a voar, a voar, umas atrás das outras, umas enrodilhadas às outras, num vira sem fim.

— Homem, não corras! — rogou-me o frade segunda vez.

— Toque-lhe — respondi — o macho ainda vai mais insofrido do que eu.

Os pinheiros tinham um ar zaranza, maluco, como se não fossem vistos, mas sonhados. Perdidos pelos cerros, pareciam, uns, grandes rocas barrigudas, com rocadas de alvo linho; outros, as forcas em que ouvi falar, com justiçados ao pendurão. Juntos nas matas, figurava-se-me ver neles o semblante de maltesia que estacou naquela mesma hora a espiar a nossa derrota, a afirmar-se em nossas pessoas como se as trouxas brancas que levavam à cabeça fossem trouxas roubadas ou que nós lhe queríamos roubar. Passávamos, e eles tinham o jeito de romper em ordinário--marche, já confiados, mas lenta, esforçadamente, naquela sua teima de largar à nossa ilharga ou subir os montes. Grande bruxa que era a neve!

— Toque-lhe, senhor Frei Joaquim — fartava-me eu de gritar —, que morremos ensopados na neve, sem viva alma que nos acuda.

De verdade, serra fora, por aqueles altos carrapitos, não se ouvia chocalhar passo de homem, nem se ouvia rumor algum de vivente, pio sequer de mocho ou coruja, corneteiros de má morte.

Fugira tudo, aves e animais para abrigos e lapas, gente e rebanhos para povos e corujeiras. Tudo silêncio. Silêncio e neve, de mãos dadas, a fazer do mundo um mausoléu — ouvi rosnar a Fr. Joaquim, e sentença foi que, por bem cabida, nunca mais da memória se me apagou.

Andando, andando, anoiteceu de todo, já ia alta uma lua qle se não via e era como candeia de azeite a alumiar um casarão abandonado. Eu ia gelado até à alma e pegara-se-me uma soneira, como se os espíritos me fossem de todo a abandonar.

Consoante os vagalhões da neve, adiante de mim trancava-se um muro fosco, formidável, como se por ali não houvesse passo ou os longes recuavam, recuavam através da poalha branca, tão bem cirandada ao luar, como se um deserto plaino se estendesse por ali fora, sem ruga, nem termo. Umas vezes, também, era um penedal de mil cristas, de mil ravinas, que se levantava repentinamente à beira do caminho; depois, o penedal avançava, derretia-se em brancura rasa, para reaparecer, num pestanejar, mais deslumbrante e medonho. E, formando-se e abatendo-se como por milagre, ia zombando dos meus olhos. Sonhando mil pesadelos, mal me sentindo levado, ouvi buzinar aos ouvidos, assim terrível como a trombeta do Vale de Josafat:

— António! António!

Diante de mim, um vulto atravessava-se tão branco e desconforme, que, embora resoluto como sou, dentro das entranhas senti berrar: ai Jesus! Mas o que era estava escanchado num azemel e o azemel sacudia a neve das orelhas e levantava para o macho olhos muito pacíficos e tristes modo nestes brutos de trocar cumprimentos ou pedir consolação. Depois uma cara nédia e gordalhuda mostrou-se e caí em mim: era o frade, o burro, a neve e a serra... Mas Fr. Joaquim estendia o braço a apontar, e a sua voz tremia:

— Vês?... Vês?...

Sentado sobre os quadris, mesmo à beira do caminho estava

um lobo. Trazia o topete saraivado de neve, neve que acamava, sinal certo que assentara ali o pouso de caça, ou de esculca depois de nos farejar de longe. Luziam-lhe as duas lanternas na testa, e, desconfiado eu que o bicho não trouxesse roga, digo para o frade:

— Berre Vossa Reverendíssima comigo à coa!

E ambos a um tempo, ele com a ronca habituada aos latins, eu com toda a força dos pulmões, que aguentavam três minutos debaixo de água, gritámos:

— À coa!... À coa!...

Santa Maria, até se me puseram os cabelos em pé ao som da nossa voz, ali no meio do ermo! O ladrão do bicho nem sequer se mexeu, mas, não sei porquê, o escuro, a toda a roda, mais se chegou para nós e, no círculo de claridade que se ia transportando à medida do nosso passo, a neve mais bailava, a danada!

— Toque cá para diante! — recomendei ao frade.

Picou o rucilho e, vai senão quando, o lobo levanta e, tepe-tepe, passa por diante das cavalgaduras e, chegando a um oiteirinho, põe-se a uivar. Uivou, uivou, o focinho muito esgalgado para o céu, contra o vento, aqueles uivos que parecem um vagido de criança doentinha a quem estão a bulir no aixe. Mas o uivo tão alto e agudo foi, que devia ir, pela terra fora, até a rocha dura varando. De travesso para nós, especado nas quatro patas, o ladrão punha respeito.

— Companheiro, — proferiu o frade, puxando das contas — encomendemo-nos a Deus.

— Deixe o rosário em paz — respondi — e, se traz faca ou outra arma, saque dela, que vem sobre nós uma alcateia que nem os pés nos poupa nos sapatos!

— Será o que Deus quiser!

Escurentava o luar, a pontos de no céu baço, ao largo, a neve parecer cinza que caía. Mas diante de nossos olhos, os flocos acendiam faíscas de prata e vergastavam-nos o rosto com areia fina, jogada por mãos muito fortes.

Quando chegámos ao morro, distante uma dúzia de passos, o lobo calou a serenata. Seguimos adiante, como se não déssemos conta duma sentinela tão faceira, e ele mudo e quedo como um penedo.

— Hum — maluquei com os meus botões — estás à espera dos colegas...

E se bem o pensei, melhor assucedeu. Íamos obra de cinco minutos adiante, aparecem-nos quatro lobos pela espalda. Muito mansarrões, num passo desleixado, ventas por terra, como pessoas-não-te-rales que vão ao seu destino. Quatro feras de vulto para espotejar um vitelo desmamado e dar conta dele.

— À coa, senhor Fr. Joaquim, à coa! — exclamei eu.

E com toda a alma berrámos:

— À coa!... À coa!...

Os birbantes, então, estacaram um momento, menos com ar de espavoridos da nossa manha, que melindrados da nossa falta de cortesia.

— Outra vez, senhor Fr. Joaquim...

— À coa!... À coa... — e o nosso eco lá foi céu fora, a esparvar fragões e animaizinhos monteses, aflito como rebate de campanários ao fogo. E a neve mais se encarniçava contra nós, fustigada pelo vento, em tais reviravoltas e sarambandas, que nem borborinho nas eiras enrodilhado num praganal.

Os lobos, com todo o descaro, formaram à nossa banda, como patrulha em destacamento. O luar era mortiço, mas eu bem via o lombo saraivado das feras e o jogo de suas mãos mandando-se connosco a passo largo.

A noite tinha pois cerrado e os maganos, trupe, trupe, à nossa mão, cada vez mais rentes, tolhidos não sei porque cobardia de nos saltar. O frade vinha atrás de mim a bater os queixais de medo, e, querem Vossorias acreditar, tão forte batiam, que esses engenhos que se armam nos milhos contra os gaios não estre-loiçariam mais forte.

— Passe para a minha banda — disse-lhe eu, que já me pare-cera ver um dos moinantes, o mais alentado, esticar os jarretes, com mentes de saltar à garupe do azemel.

O frade assim o fez e, tão cosido contra mim, que cheguei a crer que animal e frade queriam montar sobre o machito, gemeu:

— É hoje o nosso último dia!

— Vossa Reverendíssima não traz nada... navalha, ferro, pau que seja?

— Nada.

— Mas que é isso que vem a tilintar nos alforjes?

— É um turíbulo; é o turíbulo da igreja das Arnas, que trago para consertar.

— Dê-mo cá.

— Hem?

— Dê-mo cá... depressa!

O frade passou-me o turíbulo para as mãos, meti a faca nos dentes, e aí me pus a tocar ferrinhos, a bimbalhar, a fazer uma matinada que nem cambalheiras arrastadas por um cavalo! E querem Vossorias saber, os lobos meteram o rabo entre pernas e desarvo-raram. Certo, assim Deus me salve!

Ouvimo-los ainda uivar para a cornelha do morro, mas não lhe tornámos a pôr a vista em cima, nem as bestas deram sinal de que nos fossem a acompanhar. O frade erguia graças a Deus e berrava:

— Milagre! Milagre!

Milagre foi, nanja do turíbulo ser santo e servir nas cerimó-nias divinas, mas de o frade ali o trazer, porque os lobos assara-pantam-se facilmente com o ruído dos metais e se se petisca fogo. Por desgraça, só em rapaz fui fumador, não trazia lume comigo.

Dizia o frade, depois, que isto de afugentar os lobos com o cigarro aceso era uma crença sem fundamento; sempre assim o ouvi dizer, e ele a teimar e eu a petar, fomos andando o caminho.

Mas a nevada continuava a subir, já as bestas enterravam as pernas até os jarretes e se não via palmo diante de nós. E íamos alagados, vestidos de branco como romeiros que vão pagar grande mercê; e o frade com o capuz erguido, os olhos a luzir, as mãos encabadas nos canhões da cogula e o rosário ao pendurão, até me lembrava um fantasma, desses que se levantam das campas e vêm vagar pelo mundo.

As bestas emperravam, mormente o jumentinho, que, além de andar mal pensado e estafado de jornadear, trazia sobre os alforjes, cheios com o peditório, o pote de enxúndias do fradalhão. E não se via para que erguer os olhos, menos o luaceiro fosforescente da neve dobando sempre, fraldejando sua serguilha ruça, como se nos quisesse falsear o passo daqueles montes.

— António — disse-me ele —, rezemos a Nossa Senhora para que nos leve a porto de salvamento.

Engrolámos padre-nossos e ave-marias e, ao cabo, tornou-me o frade.

— Tu conheces bem o caminho?

— Conheço, mas é a mesma coisa que andar por terras nunca vistas nem pisadas. Com esta nevasca e este escuro, como quer V.ª R.ª que eu descubra o norte? Não se vê nada por onde um cristão possa orientar-se. Vamos à aventura de Nosso Senhor.

— E não vamos mal, que não há segundo guia para os cegos. Mas queres tu saber: o meu asno conhece estes andurriais melhor que à manjedoira do convento, onde há dez anos é burro. Se nós o deitássemos adiante?

— Toque lá Vossa Reverendíssima.

— Sim, mas tu bem sabes que, só de me sentir sobre o espinhaço, há de lhe faltar a liberdade de meter por onde lhe pede a cachimónia. É sendeiro e basta.

— Então?

— Olha, além de se sentir dirigido e se não dirigir, vai esta-fadinho, como vês. Leva-me a mim, que peso seis arrobas, afora os pecados, e carrega com os alforjes onde as boas almas meteram com que regalar meus irmãos em S. Domingos, batatas, cebolinhas, alhos, um pouco de carne e não sei se fumeiro. Ora tu precisas do meu burro que te guie nas duas escuridões que são a neve e a noite. Queres tu pagar-lhe o serviço que poderá prestar-nos?

— Quer Vossa Reverendíssima que eu leve o burro às costas?

— Não é isso.

— Que lhe mande uma carrada de feno?

— Não seria mau, mas também não é isso. Ouve: o teu machinho é forte, é pimpão, e vai sem carga. Aceitas levar-me na garupa, e tocamos o azemel para a frente, que ele guia-nos?

Dito e feito. O frade escarranchou-se na albarda atrás de mim e rompemos como foi combinado. O burro lá ia na dianteira trupe, trupe, de tempos a tempos avisado pela ponta da minha arreata que a sua obrigação era seguir lesto e rota certa.

Foi então, investindo contra a neve, cada mais ladroa, que o frade, amigo de falar e contar anedotas, me pregou um sermão que nunca mais esqueci.

— Acredita — disse ele — quando fores velhos e que os netos te engatinhem pelas pernas, hás-de ter saudades destes tempos com invernos que arrastam as pontes, neves que cegam a gente, fome, sede, sono, pelos caminhos compridos dos viandantes. Oh, se hás-de ter! E se pudesses voltar atrás não escolherias outra vida, que lá diz o provérbio: arrieiro no tarde chora por arrieiro, nanja por cavaleiro. — E tinha razão o raio do frade.

Mas, como lhes ia contando, deitámos o burro a bater caminho e o pobre animal lá acabou por acertar. Chegámos ao convento mais mortos que vivos, gelados até à alma, à força de andar léguas perdidos pela neve.

Os frades aboletaram-me no convento e deram-me uma tegelada de mel e leite que me pôs fino para a jornada. Mas só consen-

tiram que abalasse ao outro dia quando o sol começava a der-
reter o grande nevão, que tinha derrotado matas e cegado caminhos
e andurriais.

Fr. Joaquim das Sete Dores veio ter comigo, quando já estava
de pé no estribo para largar, e disse-me:

— Pega: isto é um osso do braço de S. João de Deus, que foi
um anjo de paciência; isto um cabelo da barba de S. Teotónio,
de muito préstimo nas dores repentinas. Trá-los ao pescoço e
verás que nunca mais entra contigo o Porco-Sujo, nem nas jornadas tens maus encontros.

Pedi-lhe a bênção e larguei.

As nóminas pô-las Brízida ao peito, presas por um negalho,
e, verdade seja, que nunca, a partir dessa data, teve ruins partos
nem lhe faltou leite para os meninos. Mas de tudo o que eu não
esqueci foi aquela do arrieiro no tarde chora por arrieiro, nanja
por cavaleiro.

Sim, senhores, o frade dava sota e az ao mais espertalhão dos
demónios.

(De *O Malhadinhas*: ESTRADA DE SANTIAGO)

ANTERO DE FIGUEIREDO
(1866-1953)

Nascido em Coimbra, de pai estremenho e mãe beirã, o autor das Jornadas
em Portugal *foi criado no Minho por um tio materno, cónego da Sé de Braga,
arqueólogo e letrado, que certamente lhe ajudou a incutir o gosto pelos monumentos, costumes e lendas que está no fundo do tradicionalismo militante e casti-
cista da sua obra. Numa efémera passagem pela Universidade de Coimbra, onde
teve de interromper os seus estudos médicos por motivo de doença, estreitou relações com a geração simbolista: António Nobre, Eugénio de Castro, Agostinho de
Campos, Alberto de Oliveira.*

*Viajou então por Espanha, França, Suíça e Itália, partindo em 1891 para a
América do Norte, como secretário de Salvador de Mendonça, Ministro do Brasil
em Washington. Das leituras e jornadas impressionistas dessa época deriva a estética
«decadentista» dos seus primeiros escritos:* Trístia *(prefácio de João Penha, 1893),*
Além *(1895),* Partindo da Terra *(1897) e* Palavras de Agnelo *(1899), em que
se revela um temperamento sensitivo, melancólico, formado nos temas do Saudo-
dosismo e expresso por um acentuado talento verbal, lexicológico.*

*Diplomado em 1897 pelo Curso Superior de Letras, Antero de Figueiredo
tentou o teatro (*Estrada Nova, *1900), que logo abandonou para se consagrar
exclusivamente à leitura e à vida familiar, com uma rápida passagem pelo serviço
público, como Director da Escola de Belas-Artes do Porto.*

À parte alguns livros de imaginação, como os contos Partindo da Terra *e a
novela epistolar* Doida de Amor *(1910), em que a exuberância vocabular e o
virtuosismo descritivo predominam sobre a efabulação e o devir psicológico dos
personagens, a obra de Antero de Figueiredo desenvolveu-se, com larga voga,
em três dimensões principais: livros de impressionismo artístico e itinerante,
como* Recordações e Viagens *(1904),* Jornadas em Portugal *(1918), e* Espanha;
*painéis histórico-biográficos (*D. Pedro e D. Inês, *1913;* Leonor Teles, *1916;*

D. Sebastião, *1925)*; *finalmente as obra de peregrinação e apologia religiosas:* O Último Olhar de Jesus *(1928)*, Fátima *(1936)* e Amor Supremo *(1940)*.

De Recordações e Viagens *escrevia Coelho Neto em 1905: «No livro do Sr. Antero de Figueiredo há uma nota curiosa que logo nos cativa a atenção — é a nota sentimental. É um poeta que nos leva vagarosamente através de cidade e campos, e, à medida que nos faz ver uma* casa minhota *com toda a sua melancolia, ou esse suave vale de Assis onde andou o irmão de todos os seres e de todas as coisas, o meigo solitário da Porciúncula, fala-nos das suas crenças, conta-nos os seus sonhos, diz-nos o seu ideal, recorda-nos a sua infância. Já no prefácio* Gosto de Recordar *compreende-se que se vai andar com um poeta, um melancólico que em tudo faz brotar um pouco de sentimento, falando-nos da pedra fagueira, da água que canta, da árvore florida e da ruína abandonada, como se falasse de seres queridos, que tivessem alma e sofressem».*

Do estilo de Antero de Figueiredo *escrevia Manuel da Silva Gaio, em 1918, a propósito das* Jornadas em Portugal: *«A sua prosa — legítimo produto formal dum copioso fundo vocabular, apropriado por notável faculdade para o desenvolvimento estrutural dos conceitos, imagens, impressões traduzidas; a prosa, sendo rica, opulenta mesmo, é-o dentro do* essencial, do necessariamente *expressivo; é-o pelo facto mesmo de se não esbanjar inútil, esterilmente. Tem a riqueza dos vegetais fortes, dos belos espécimes arbóreos; e por isso deita braços vigorosos, e floresce, sem comprometer a existência do todo, sem lhe embaraçar ou desmanchar a significação resultante.»*

[TERRA DE MIRANDA]

V INDO do Porto, atravesso o Baixo Douro — que é um Minho de campos menos retalhados, de verdura menos fofa, de cor menos uniforme, de claridade menos crua. A luz, mais grave, valoriza os vários azuis dos montes com suas escarpas e quebradas; os verdes delicados das árvores de qualidade; os verdes fortes das copas dos pinheiros, penetradas de sombras; as massas escuras dos seus troncos violáceos; os castanhos vermelhos das telhas velhas sobre brancuras de fachadas entre terrenos amarelentos e céus azulinos; e os tostados quentes dos taludes de saibro. A fisionomia da paisagem acentua-se. Há carácter. Os outeiros começam a transformar-se em montes; os vales alargam-se e afundam-se; os horizontes distanciam-se. Serras ao longe.

Estamos em fins de Abril. A Primavera, andada de um mês, ilumina o ar com as copas lilases e brancas das cerejeiras e das macieiras; com as hastes finas, direitas ao céu, das ameixoeiras, borbulhadas de rebentos de flores alvas — árvores beirando campos verdecidos de trigo serôdio, ou lameiros geados pelas tialhas das margaridas de neve. As giestas afitam-se de branco, e os tojos pontilham-se de revoadas de borboletas amarelas. Para além, montes de margaça lilás parecem montes de mosto. Agora, pinhais espessos e vales fundos.

Começa o Douro alcantilado, de catadura áspera, sobre um rio de barro compacto, lá em baixo, num encaixe de rochas revazando-se nos pegos, quebrando-se nas ilhotas de fragas irrompidas, umas, do leito pedregoso, outras arrastadas, durante séculos, pelos cachões, pelas cheias altas, de grossas águas que derruem muros, arrasam pontes, assoreiam lodeiros e inundam elevados campos marginais.

Agora, de um e outro lado, montes, que há quarenta anos ainda verdejavam até os cômoros, na abundante alegria das suas cores e da riqueza de vinhedos preciosos, são hoje terras abandonadas aos tremoçais, à urze e aos zambujeiros, a tufarem suas verduras bravas por entre as pedras dos geios derruídos, onde as velhas cepas, calcinadas como carvões, morreram e apodreceram.

Terras vencidas!

Mais adiante aparecem as geiras, redradas, limpas de felgas e de pedras soltas, das replantações novas, com seus tabuleiros suportados por muros de xisto, suas fileiras de cepas, alinhadas e cuidadas, vindas dos lodeiros da beira-rio e subindo montes, em socalcos, até o cocoruto — conquista laboriosíssima, custosíssima, só permitida aos vinhateiros ricos e tenazes.

Terra vencedora!

Do Corgo para cima, é Alto Douro: chão de xisto esfarelado pelo ar, pelo calor, pelo trabalho mortal da enxada, bidente e sarrada, do cavador-escravo, que, de sol a sol, debaixo da saborreira calcinante, curvo, fincado no alvião, com a pele a escaldar e a luzir de suor, o corta, o espedaça, o pulveriza, covertendo a pedra em terra — em humo aspérrimo de que as raízes das cepas se alimentam com voracidade infernal, como plantas do diabo que exigissem, para seu sustento, o fogo da terra e o suor dos homens. A terra escalda; o ar queima. Secam as fontes, ardem os montes. Não há uma sombra de arbusto, nem um pingo de água. Há sessenta graus de calor do inferno, sede, sezões, dor, morte. Uma gota de vinho custa todo o suor de um homem!

*
*   *

Subindo o Tua, entra-se em Trás-os-Montes. O comboio, aberto na rocha viva da montanha a pique, serpeja, cá no alto, acompanhando as curvas duras do contorcido rio no fundo de um vale estrangulado, feito de altas serras de penedos a despenharem-se — águas primitivas e terrenos de erupção de um ciclo de cataclismos.

Também tudo isto, de um lado e outro foi, em tempo, vinha farta, vinha rica. Hoje, nestes montes miseráveis, irrompem por toda a parte arbustos rupestres, carrascas e zambujeiros verde-negros. De onde a onde, na sombra violácea de um barranco, que de alto a baixo talha o monte, terrinhas enxurreiras são aproveitadas para pequeninos laranjais — sorriso de verdura entre secos de urzes requeimadas pelo sol candente.

O rio, atormentado, braveja espumas de encontro às penedias que, no meio das águas, o querem suster. Os alcantis das margens, a pique, altíssimos, são, uns, pedreses, outros, torriscados dos vermelhos mostosos dos sobreiros sem casca, escorrendo, nalguns, líquens verdes como limos, ou musgos amarelos como o enxofre. O Sol poente deve lascá-los de ouro e de cobres fúlgidos, embrechá-los de pedrarias brilhantes. Aqui e além, entre penhascos e negrilhos bravos, verdeja o mimo tenro de uma relvinha húmida para pasto de cordeiros.

Penedos sobrepostos em penedos, emuralham-se em baluartes formidáveis como que a não permitir que os montes, insofridos pela injustiça da Natureza, se despenhem, numa sabotagem de vingança truculenta, sobre o rio, para nele saciarem seu ódio secular de se sentirem morrer de sede, à vista de tanta água fresca que não podem beber, com que, em horas ardentes, se não podem refrescar. Curvas seguem-se a curvas feitas por montes rochosos, muito próximos uns dos outros, onde a luz mal entra.

E, assim, durante léguas, se prolonga esta paisagem dantesca, a dizer as dores ingentes da Terra, naquela idade do mundo em que o seu coração ígneo rebentou em dores.

*

* *

Por alturas de Brunhos, o vale dilata-se e a luz desce generosa. Os montes baixos mancham-se de panos verdes de centeio novo. Há casais soltos; uma capela branca; bois no pasto. No rio verde, alargado e parado, pincelam-se outros verdes mais claros, mais doces — os do centeio a pungir nos campos, os dos choupos tenros, com suas folhitas de Primavera tímida, que chega tarde a estes sítios frios.

Em Vilarinho acabam os tormentos do Tua. O rio é agora uma tira de céu azul, posta ali no chão, entre verduras; e suas águas, ao cair nos rápidos, formam belas curvas de vidro verde, pulido e transparente, partindo-se, no fundo do açude, em refervuras de espumas alvíssimas e espraiadas — tonéis de champanha que do alto se despenhassem.

À volta de Mirandela, terra quente e farta, tudo são bíblicos olivais, de poda boleada e arejada. Seguem-se léguas de sobreiros de tinta granítica nas copas e sangrenta nos troncos descortiçados. Depois, soutos de castanheiros que, no Outono, se encherão de tons fulvos e sanguíneos nas suas folhas de latão e cobre. Por fim, nas alturas de Rossas, escancara-se um vale de lameiros verdes, de levedas, de regos de água — o sangue da terra — desafogadíssimo, entre outeiros de carvalhidos negrais e horizontes fechados

por tintas de montanhas azuis, de manchas ténues, distantes, onde
o olhar voga nos longes imprecisos das coisas...

Até Bragança — terras acidentadas e fartas.

*

* *

Daqui a Vimioso são onze léguas puxadas, por alturas, num
permanente panorama de montes sem árvores, às ondas, uns para
além dos outros, sobrepondo suas corcovas de tintas verdes, vino-
sas, violáceas, com manchas de sombras ardoseiras das nuvens
de cúmulos de cinza espessa com rebordos de branco luminoso
— até às últimas montanhas, no horizonte longínquo, até à cor-
dilheira da Culebra, em Espanha, cristada de neve virginal posta
entre dois azuis profundos: o do céu e o da serra.

A estrada que desceu ao Sabor, marginado de amieiros e negrilhos, trepa à lomba dos montes e segue, airosa, entre cerejeiras
em flor, desdobrando sua fita branca no ar lavado desta paisagem de serras nuas, que no Verão devem escaldar o corpo e desolar
a alma com os leirotos monótonos dos seus amarentos restolhos
requeimados. Léguas e léguas sem uma viv'alma; léguas e léguas
sem um casal; léguas e léguas sem uma ermida branca nestes montes que parecem ateus ou aonde, pelo menos, não sobe a prece dos
homens.

À volta, em chãos secos — estevas, giestas, arsans e silvas
gravanceiras; distante, no panorama amplo, por onde se distende
o olhar, a toda a roda, a sinfonia da ondulação dos montes rapados,
em xadrezes, de colossais panos de burel e de méltones, dos matos
roçados e das verduras limosas dos centeios novos, a escorrer pelas
lombas coureladas. De onde a onde, um pombal branco.

O *auto* roda veloz, a zunir, como um besouro gigantesco, espavorindo os bezerros, parando de espanto os olhos dos pastores,

pondo em debanda as ovelhas e os cabritos que trepam pelos outeiros.

De muito longe em muito longe, topa-se uma aldeia serrana, de paredes broentas e de telhados tanados — casas baixas, aconchegadas umas com as outras, como rebanhos. Eleva-se um campanário caiado. Branqueja uma capela. Raras árvores. Alguma verdura de prados. Foi um instante — lá ficou para trás.

Outra vez o descampado! Outra vez a secura!

Na estrada cruzo-me com altas carroças de duas enormes rodas, com um comboio de mercadorias em cima, em torre, puxadas por cinco ou seis machos, a um de fundo, a passo, acompanhadas do oleoso almocreve, em mangas de camisa, a pé, com a tira do chicote passada pelos ombros.

Cães, a ladrar, dentes arreganhados, pêlo hirsuto, perseguem, num galope doido que os estira em lebres, o automóvel veloz. Mulheres pobres, a fazer meia, envoltas em mantéus escuros, passam montadas em burricos lanzudos, sem arreios, em chouto triste. Uma rude cruz funerária, sobre um monte de pedras (Padre-Nossos!) diz «morte de homem». Casas ao longe — é Vimioso. Começa a Terra de Miranda.

*

* *

Daqui por diante as estradas são raras e os poucos caminhos — péssimos.

A catita que me leva — traquitana desconjuntada, mas forte, amolgada, mas brava, de molas rudas e duras, de rodas toscas e tenazes — afoita-se a tudo: ladeiras, despenhadeiros, atoleiros, barrancos, riachos; e ora mete por campos de centeio, ora trepa a lombas cobertas de mato — sempre de boa cara, sempre triunfante! São caminhos para viagens a cavalo, por montes e vales. Uma traquitana é luxo perigoso.

Estas terras insuladas, longe de tudo e de todos, vivem sobre si, mantendo-se no seu modo de ser antigo, nos seus velhíssimos costumes, na sua língua primitiva, feita do encontro do falar plebeu romano com o das invasões dos povos que se instalaram aqui em tempos idos. Se estes planaltos não foram, nessa idade, florestas virgens habitadas por ursos e javalis, estão hoje como estariam no tempo de Henrique de Borgonha quando este os atravessou, armado de loriga esmalhada, morrião de cimeira e montante, cavalgando no meio dos seus homens sopesados de lanças e bestas, descidos do vizinho reino leonês para o condado portucalense.

O silêncio medievo destes montados antigos, num recanto longínquo, na extrema nordeste de Portugal, a acabar, em cima, em termo de Alcaniços, e, aqui, desta banda, a partir com o planalto de Zamora, que pega com o de Castela Velha, de onde nos vieram as rainhas da primeira dinastia; a língua que se fala ainda hoje e foi contemporânea de D. Afonso Henriques; o que sabemos dos velhos costumes conservados nesta região por um povo de face e olhar rústico, vestido do obsoleto burel afonsino — tudo isto nos afasta do tempo presente e, instalando-nos no viver antigo, faz com que nossos pés de hoje sintam que estão pisando chãs reguengas que, parece, se governam ainda pelas cartas de foro que D. Dinis e D. Manuel outorgaram aos moradores destes coutos.

Caiu nesta Terra a letra de vários privilégios concedidos pelos portugueses, de duzentos e quinhentos, fazendo saber, a quantos suas cartas vissem, ou ler ouvissem, que tal vila ficava escusa de foro real, e que considerava vassalos todos os seus cavaleiros de armas. Além disto, instituía feiras francas, e honrava certo torrão com o direito de ser couto de homiziados. Das viagens régias ficava este rastro de favores. E os reis de então — pais — vinham longe visitar seus filhos raianos e eram grados em lhes fazer suas mercês.

O sr. Francisco, velho alquilador, dono e condutor da traquitana a espedaçar-se nas suas ferragens desconjuntadas (cara sem barba, modelada pelas sombras da sua face seca e pelos vincos fundos aos lados da boca, na testa e em volta dos olhos negros que dominam, com sua expressão fiel, toda esta rudeza — cara irmã da dos «homens do Infante», no painel de Nuno Gonçalves) — o sr. Francisco vai-me contando casos e coisas das terras que atravessamos.

Por deferência, conversa comigo em língua *grave* (português) mas com a rara gentinha triste que vamos topando por estes rudes caminhos, troca dizeres em termos *charros* (mirandês) de espanholado falar:

— Bunos dis, amiio Manul.
— Olá, tiu Farruco!
— Que tês que vas caçurro?
— Nadia...
— Que ombra te pesa, ombre?
— Neguma.
— Como vai aqueilha que sabes?
— Marié?
— Si.
— Non me hables delha!
— Porquê?
— Es una ambrulheira, una cotchina, una...
— Que me cuntas?!

Nesta altura o tal Manul (um moço de lavoura tosco e espadaúdo), fita os olhos de brasa nos olhos mansos do Francisco e, por entre dentes cerrados, esfuzia uma palavra baixa e insolente, a espumar ódio e sangue, contra a traidora amásia; e ao mesmo tempo, levantando os braços hirtos de cólera e inviesando o olhar inviperado na direcção de uma aldeia, parda, ao longe, faz, com as mãos crispadas, um gesto convulso de ameaça tremenda. Súbito, corta, duro, para o monte, em passadas agrestes. Vai furibundo: leva na alma o cio de um touro e o ciúme arreganhado e noctívago de um felino montês.

O cocheiro ainda lhe grita do alto da boleia:

— Manuel, anda cá!

— Adius!

— Que tengas juizio!...

E para mim:

— A cabra da rapaza!... Pregou-lha... É rez ao monte!...

— Mata-a?

— O mais certo! Nestes sítios, as mortes são só por vinho ou mulheres.

Distante, na orla de uma terrícula cor de estamenha, a enfesto do monte seco, recorta-se, no céu de âmbar, a sombra negra de um homem dobrado atrás de uns boizinhos negros, a arar sua leirinha pobre.

Em Genízio, ao passar pela capela de São Ciríaco, o sr. Francisco, com o carão subitamente assombrado de respeito, tira o seu chapeleirão à sineta de um pequenino campanário, porque ela é benta e advogada contra raios e coriscos; numa tempestade, seu repique afugenta trovões, desfaz nuvens de chuva e derrete a saraiva que paira no ar.

— Acredita?

— Tenho ouvido dizer. É cá a nossa fé...

... ...

E enquanto o tal moço Manuel lá fica para trás a crucificar a alma afeleada no desespero espumante daquele cio de novilho, que uns chamam amor, outros inferno —paixão que leva ao crime, à perdição, à morte —, o sr. Francisco, que já passou pelos pecados da mocidade, diante da «campana santa», persigna-se com dedos grossos, enchendo o peito de religião.

*
 * *

O que por aí vai de superstições, de velharias, costumeiras originais e pitorescas, nestes povos, em parte, a viver ainda na comunidade familiar da propriedade, à volta de um juiz por eles eleito, que, rigoroso na fiscalização dos gados, impõe multas de vinho, depois bebidas, em conjunto, nas festas de ano, nos meses ardentes de Verão!

Todas estas miúdas aldeias insuladas nestes descampados, num raio de umas seis léguas daqui — Caçarelhos, Especiosa, Ifanez, Cércio, Ralacouto, Prado-Gatão, Sendim e tantas outras — estão impregnadas de lendas antigas, de superstições, de velhos casos, contados e recontados nas seroadas do Outono, nos fiadouros ao ar livre, em comum, à volta da fogueira alta, ou nas lareiras afumadas, quando o «inviêrno de nôbe mèzes» zune nas telhas vãs, levanta os colmos, a chuva da «nube de Pranã» tudo alaga, e as geadas queimam os rebentos novos. No Estio, as conversas são ao soalheiro, às portas dos casais de pedra solta, vizinhas com vizinhas, umas a fiar, na roca lavrada, a lã das suas ovelhas ou a estopa do linho que venderam no mercado de Miranda; outras, de cara e braços enfarinhados, que vieram, em dois dedos de paleio, palrar um «rato», enquanto esperam que na cozinha negra o pão levede na encardida maceira.

Ao sol se criam os filhos sujos, de cambolhada com os bácoros que, de noite, dormem junto deles no chiqueiro a pegar com a cozinha térrea e com o palheiro de feno onde homens e mulheres se metem, em noites de enregelados frios. Ao lado, o tear que tece o burel dos seus chambres e polainas, a xerga das suas saias e as saragoças das suas mantas grosseiras de pêlo eriçado, que o pilão não amacia.

Da imperial da pequena diligência, vejo, num cerrado, mocinhas vestidas de pardo, tristes, a guardar vacas; num outeiro seco, rapazes, com calções de pele de ovelha, olham pelo rebanho esparso; e numa pequena jeira, murada, aqui próximo, na fieira de homens em mangas de camisa, mulheres pobres, com os filhos envoltos num xaile, e pendurados das costas, como ciganas, sacham uma terrinha esboroada, tão pedregulhosa e seca, que se o ano lhe der para mau, poucas teigas de centeio decerto colherão.

*
* *

Na aldeia de Malhadas pára a traquitana. Apeio-me. Cercam-me rapazinhos e raparigas de faces brancas e sardentas, olhos azuis e cabelos ruivos — como saxões. Uma mocita, calçada, sua saia azul de miúdas ramagens amarelas, a blusa muito fechada resguardando o seiozinho brando, uma repa de cabelo de estriga a sair-lhe por debaixo do lencito posto em coifa soqueixada — logo me pergunta, com desempeno, a sorrir primaveril:

— Como se chama o tio?

Os outros riem. À volta, mulheres velhas, vestidas de xerga, fiam, umas, linho grosso, outras, a lã parda das suas canhonhas. Homens — caras rapadas, avermelhadas, coloridas, olhos pretos e húmidos, cabelos muito negros caídos para a testa — tipos velasquianos — que carregam um carro de raízes de carvalhos, cumprimentam-se de lá, cordiais, com acenos de mãos grossas, boamente.

Mas já a traquitana abala de novo e logo o sr. Francisco, a cara compungida, me diz que, indo informar-se da saúde de certo amigo seu, soubera continuar ele doente e havia já quinze dias: desde Sexta-feira Santa.

— Com quê?

— Com os açoites e as vergastadas que lhe deram na representação da *Paixão do Senhor,* em que ele fez de Jesus.

— Maldade?

— Não: penitência!

ALMEIDA GARRETT
(1799-1854)

De uma família nobilitada pelo exercício de magistraturas e benefícios ecle-
siásticos, Garrett nasceu no Porto. Seu pai, açoriano, para evitar os flagelos da
terceira invasão francesa (1810) refugiou-se com os seus na ilha Terceira, onde
tinha dois irmãos cónegos e outro que, Bispo resignatário de Malaca, não tardaria
a suceder na mitra de Angra.

Cheio de recordações de romances que lhe contava uma velha criada no Porto,
na Quinta do Castelo, e que o refúgio naquela ilha perdida ia enriquecendo com
novos romances e lendas — desta vez transmitidos por uma mulata brasileira —
Garrett fez as suas humanidades sob a direcção do tio Bispo, D. Frei Alexandre
da Sagrada Família, que fora na Arcádia o pastor Sílvio, entusiasta de Alfieri
e de Goldoni. Destinado à carreira eclesiástica, num meio eclesiástico e imbuído
de tradicionalismo como era a Angra dos Capitães-Generais dos Açores, mas já
um pouco contagiado pelas ideias novas através dos deportados políticos da fragata
Amazona, Garrett ia crescendo, cabulando um pouco e lendo muito. Precoce em
amores, como em tudo, essa adolescência insular já aparece florida de uma Lília
de ode anacreôntica e de uma lista de pecados mortais encabeçados em sete musas.
Umas férias passadas na ilha Graciosa, em casa de um tio juiz, dão lugar a um
episódio semiescandaloso de sermão pregado pelo vago aprendiz de clérigo, que
invocara uma suposta licença do prelado seu tio.

Este estágio nos Açores, reforçado com as férias do estudante de Direito,
é um período decisivo na vida de Garrett. Ali se formou o João Mínimo de uma
Lírica (1829) arcadizante, tímido documento de uma mocidade que se procura
e dissipa. Garrett será toda a vida um insatisfeito moderado, um homem de paixões e de estos sofreados, por elegância e por apego ao mesmo tempo estético e
moral à discrição e ao pudor. Socialmente romântico, metido em amores infelizes
(um casamento impensado e precoce, uma ligação séria mas mundanamente

impraticável), Garrett foi também temperamentalmente um pouco romanesco, decerto; mas uma boa consciência moral e um juízo rectilíneo transformaram todas as aventuras da sua vida numa dolorida experiência que a sua obra exprime em acentos de nobre contensão.

Garrett espalhou e viveu em Coimbra a atmosfera ideológica da primeira revolução portuguesa (1820), escrevendo uma tragédia patriótica (Catão, *1891*). *Metido num processo, pela publicação, julgada escandalosa, do seu* Retrato de Vénus, *ele próprio se encarregou da defesa. Já era o orador de rasgo, o homem dos círculos íntimos e dos grandes auditórios cívicos. Suspeito à polícia, malquistado em Angra com o Capitão-General, Stockler, Garrett exila-se com a primeira grande emigração liberal portuguesa (1823). Em Inglaterra faz a experiência da alta burguesia (Edgbaston) e da grande cidade (Londres). Procura emprego numa casa bancária do Havre: vive numa mansarda em Paris. Conhece o pão do exílio, o alvoroço da influência junto dos que parecem destinados a arbitrar o dia de amanhã numa pátria renovada.*

Em 1826 abre um parêntesis no seu desterro para fazer dois anos de estéril jornalismo político. É preso; outra vez «prófugo». Toma em Belle-Isle a fragata Juno *com rumo à ilha Terceira, onde alinha com Herculano nos batalhões do Exército Libertador.*

O triunfo do Liberalismo abre-lhe efemeramente as portas da carreira diplomática com uma missão a Londres e com a primeira encarregatura de negócios em Bruxelas (1834). A recusa da legação de Copenhague fá-lo conspirador ao lado de Passos Manuel. Garrett torna-se o inspirador cultural da revolução de Setembro (1836). Cria o Teatro Nacional, o Conservatório; escreve peças para adestrar os actores e dar incentivo aos alunos. É parlamentar, cronista-mor do Reino, ministro dos Estrangeiros. As suas orações da oposição são esperadas em Lisboa como acontecimentos; os seus dramas e poesias anunciados nas salas com alvoroço.

Garrett extrai desta vida febril e dispersa um mel bastante amargo, que transforma em arte, em sociabilidade, elegância e confidência. Se a poesia da Lírica de João Mínimo, *e mesmo boa parte das composições de* Flores sem Fruto *(1845) se ressentem de uma arte madrigalesca e adocicada de sala e jardim meio arcádico, meio romântico, Garrett é sempre autêntico e natural versejando. Onde a inspiração se evapora, acode a arte. Enfim, «um inferno de amar», uma paixão tardia e ruidosa pelos seus reflexos na boa sociedade de Lisboa ditar-lhe-á o seu canto--de-cisne poético, as* Folhas Caídas *(1853).*

A sua pedagógica e gradual experiência de teatro (Um Auto de Gil Vicente, *1838;* D. Filipa de Vilhena, *1840;* O Alfageme de Santarém, *1842) desabrocha numa obra-prima,* Fr. Luís de Sousa *(1844), o drama da bigamia a que é imolada uma rapariga precoce, vítima de um adultério involuntário, tragicamente carregado* de inibições e de remorsos patrióticos, de casta religião, obra em que parece ecoar o drama pessoal de Garrett, pai adulterino, que requinta o seu delito moral numa consciência aflita e delicada de artista.

Garrett é primoroso na sua obra, original na sua pessoa, quase genial na sua vida. Não é tanto, com efeito, pela autonomia e perdurabilidade do que escreveu, apesar do Frei Luís de Sousa e das Viagens na Minha Terra, que Garrett fica na literatura e no génio português. É sobretudo por um ardor que irradia dos seus escritos e dos seus actos, qualquer coisa de goethismo sem o alto pensamento de Goethe, flama de Camões que trocou a épica pela tragédia.

Foi do seu poder de intuição e de amor português que saiu a recolha do Romanceiro (3 vols.), e, através da estilização dos seus temas e do aproveitamento de alguns como material de construção literária e de sugestão estilística, toda uma estética nacional, que, se não frutificou completamente no Romantismo, conduziu do diletantismo saudoso das Viagens na Minha Terra ao optimismo aldeão de Júlio Dinis, ao simbolismo folclórico de António Nobre, e, através deste, ao Saudosismo.

Garrett foi polígrafo pela mesma razão por que foi homem de sala: pelo seu dom de comunicação e de simpatia. Mas o seu espírito crítico foi sempre muito mais estético do que outra coisa, mais intuitivo que intelectivo. Assim, os seus elogios históricos, os seus discursos parlamentares, a sua tentativa teórica de política internacional (Portugal na Balança da Europa), o seu ensaio Da Educação (1829) valem sobretudo como iniciativa, como provas de dinamismo intelectual e de ardor cívico. Além disso, Garrett improvisava muito. Se o seu gosto irrepreensível o salvava quase sempre em literatura, os seus critérios de pensamento não tinham a força e o escrúpulo dos de um Herculano. Garrett, feito legislador como se fizera pedagogista, foi acusado de plágio em matéria doutrinal de direito administrativo. Em suma, tudo o que não é estético na obra deste artista é menos consistente. Mas a sua figura, que a voga do século XIX chegou a nivelar com Camões, é, sem dúvida, uma das maiores da literatura portuguesa.

[O VALE DE SANTARÉM]

O vale de Santarém é um destes lugares privilegiados pela Natureza, sítios amenos e deleitosos em que as plantas, o ar, a situação, tudo está numa harmonia suavíssima e perfeita: não há ali nada grandioso nem sublime, mas há uma como simetria de cores, de tons, de disposição em tudo quanto se vê e se sente que não parece senão que a paz, a saúde, o sossego do espírito e o repouso do coração devem viver ali, reinar ali um reinado de amor e benevolência. As paixões más, os pensamentos mesquinhos, os pesares e as vilezas da vida não podem senão fugir para longe. Imagina-se por aqui o Eden que o primeiro homem habitou com a sua inocência e com a virgindade do seu coração.

À esquerda do vale, e abrigado do norte pela montanha que ali se corta quase a pique, está um maciço de verdura do mais belo viço e variedade. A faia, o freixo, o álamo entrelaçam os ramos amigos; a madressilva, a musqueta penduram de um a outro suas grinaldas e festões; a congossa, os fetos, a malva-rosa do valado vestem e alcatifam o chão.

Para mais realçar a beleza do quadro, vê-se por entre um claro das árvores a janela meia-aberta de uma habitação antiga mas não delapidada — com certo ar de conforto grosseiro, e carregada na cor pelo tempo e pelos vendavais do sul a que está exposta. A janela é larga e baixa: parece mais ornada e também mais antiga que o resto do edifício, que todavia mal se vê...

Interessou-me aquela janela.

Quem terá o bom gosto e a fortuna de morar ali?

Parei e pus-me a namorar a janela.

Encantava-me, tinha-me ali como um feitiço.

Pareceu-me entrever uma cortina branca... e um vulto por detrás... Imaginação decerto! Se o vulto fosse feminino... era completo o romance.

Como há-de ser belo ver pôr o sol daquela janela!...

E ouvir cantar os rouxinóis!

E ver raiar uma alvorada de Maio!...

Se haverá ali quem aproveite a deliciosa janela?... quem aprecie e saiba gozar todo o prazer tranquilo, todos os santos gozos de alma que parece que lhe andavam esvoaçando em torno?

Se for homem é poeta; se é mulher está namorada.

São os dois entes mais parecidos da Natureza, o poeta e a mulher namorada; vêem, sentem, pensam, falam como a outra gente não vê, não sente, não pensa nem fala.

Na maior paixão, no mais acrisolado afecto do homem que não é poeta, entra sempre o seu tanto de vil prosa humana: é liga sem que se não lavra o mais fino do seu ouro. A mulher não; a mulher apaixonada deveras sublima-se, idealiza-se logo, toda ela é poesia, e não há dor física, interesse material, nem deleites sensuais que a façam descer ao positivo da existência prosaica.

Estava nestas meditações, começou um rouxinol a mais linda e desgarrada cantiga que há muito tempo me lembra de ouvir.

Era ao pé da dita janela!

E respondeu-lhe logo outro do lado oposto; e travou-se entre ambos um desafio tão regular em estrofes alternadas tão bem medidas, tão acentuadas e perfeitas, que eu fiquei todo dentro do meu romance, esqueci-me de tudo mais.

Lembrou-me o rouxinol de Bernardim Ribeiro, o que se deixou cair na água de cansado.

O arvoredo, a janela, os rouxinóis... àquela hora, o fim da tarde... que faltava para completar o romance?

Um vulto feminino que viesse sentar-se àquele balcão — vestido de branco... oh! branco por força... a fronte descaída sobre a mão esquerda, o braço direito pendente, os olhos alçados ao céu... De que cor os olhos? Não sei, que importa! é amiudar muito de mais a pintura, que deve ser a grandes e largos traços para ser romântica, vaporosa, desenhar-se no vago da idealidade poética...

— Os olhos, os olhos... disse eu, pensando já alto, e todo no meu êxtase, os olhos... pretos.

— Pois eram verdes!

— Verdes os olhos... dela, do vulto da janela?

— Verdes como duas esmeraldas orientais, transparentes, brilhantes, sem preço.

— Quê! pois realmente?... É gracejo isso, ou realmente há ali uma mulher bonita e?...

— Ali não há ninguém — ninguém que se nomeie hoje, mas houve... oh! houve um anjo, um anjo, que deve estar no céu.

— Bem dizia eu, que aquela janela...

— É a janela dos rouxinóis.

— Que lá estão a cantar.

— Então, esses lá estão ainda como há dez anos — os mesmos ou outros, mas a Menina dos rouxinóis foi-se e não voltou.

— A Menina dos rouxinóis! Que história é essa? Pois deveras tem uma história aquela janela?

— É um romance todo inteiro, todo feito, como dizem os Franceses, e conta-se em duas palavras.

— Vamos a ele. A Menina dos Rouxinóis, menina com olhos verdes! Deve ser interessantíssimo. Vamos à história já.

— Pois vamos. Apeemo-nos e descansemos um bocado.

Já se vê que este diálogo passava-se entre mim e outro dos nossos companheiros de viagem.

Apeámo-nos com efeito; sentámo-nos; e eis aqui a história da Menina dos rouxinóis como ela se contou.

É o primeiro episódio da minha Odisseia: estou com medo de entrar nele, porque dizem as damas e os elegantes da nossa terra que o português não é bom para isto, que em francês que há outro não sei quê...

Eu creio que as damas que estão mal informadas, e sei que os elegantes são uns tolos: mas sempre tenho muito receio, porque enfim, enfim, deles me rio eu, mas poesia ou romance, música ou drama de que as mulheres não gostem, é porque não presta.

Ainda assim, belas e amáveis leitoras, entedamo-nos: o que eu vou contar não é um romance, não tem aventuras enredadas, peripécias, situações e incidentes raros; é uma história simples e singela, sinceramente contada e sem pretensão.

Acabemos aqui o capítulo em forma de prólogo; e a matéria do meu conto para o seguinte.

Este é o único privilégio dos poetas: que até morrer podem estar namorados; também não lhes conheço outro. A mais gente tem as suas épocas na vida, fora das quais lhes não é permitido apaixonarem-se. Pretenderam acolher-se ao mesmo benefício os filósofos, mas não lhes foi consentido pela rainha Opinião, que é soberana absoluta e juiz supremo de que se não apela nem agrava ninguém.

Anacreonte cantou, de cabelos brancos, os seus amores, e não se estranhou. Aristóteles mal teria a barba ruça quando foi daquele seu último namoro por que ainda hoje lhe apoquentam a fama.

Ora eu filósofo seguramente não sou, já o disse; de poeta tenho o meu pouco, padeci, a falar a verdade, meus ataques assaz agudos dessa moléstia, e bem pudera desculpar-me com eles de certas fragilidades de coração... Mas, não, senhor, não quero desculpar-me como quem tem culpa, senão defender-me como quem tem razão e justiça por si.

Estou com o meu amigo Yorick, o ajuizadíssimo bobo de el-rei de Dinamarca, o que alguns anos depois, ressuscitou em Sterne com tão elegante pena, estou sim. «Toda a minha vida, diz ele, tenho andado apaixonado já por esta, já por aquela princesa, e assim hei-de ir, espero, até morrer, firmemente persuadido que se algum dia fizer uma acção baixa, mesquinha nunca há-de ser senão no intervalo de uma paixão à outra: nesses interregnos sinto fechar-se-me o coração, esfria-me o sentimento, não acho dez réis que dar a um pobre... por isso fujo às carreiras de semelhante estado; e mal me sinto aceso de novo, sou todo generosidade e benevolência outra vez.»

Yorick tem razão, tinha muito mais razão e juízo que seu augusto amo el-rei de Dinamarca. Por pouco mais que se generalize o princípio, fica indisputável, inexcepcionável para sempre e para tudo. O coração humano é como o estômago humano, não pode estar vazio, precisa de alimento sempre: são e generoso só as afeições lhe podem dar: o ódio, a inveja e toda a outra paixão má é estímulo que só irrita mas não sustenta. Se a razão e a moral nos mandam abster destas paixões, se as quimeras filosóficas, ou outras, nos vedarem aquelas, que alimento dareis ao coração, que há-de ele fazer? Gastar-se sobre si mesmo, consumir-se... Altera-se a vida, apressa-se a dissolução moral da existência, a saúde da alma é impossível.

O que pode viver assim, vive para fazer mal ou para não fazer nada.

Ora o que não ama, que não ama apaixonadamente, seu filho se o tem, sua mãe se a conserva, ou a mulher que prefere a todas, esse homem é o tal, e Deus me livre dele.

Sobretudo que não escreva: há-de ser um maçador terrível.

Talvez seja este o motivo da indefinida permissão que é dada aos poetas de andarem namorados sempre.

O romancista goza do mesmo foro e tem as mesmas obrigações. É como o privilégio de desembargador que tiveram dantes os fidalgos, quando ser desembargador valia alguma coisa... tanta coisa!

Como hei-de eu então, eu que nesta grave Odisseia das minhas viagens tenho de inserir o mais interessante e misterioso episódio de amor que ainda foi contado, ou cantado, como hei-de eu fazê-lo, eu que já não tenho que amar neste mundo senão uma saudade e uma esperança — um filho no berço e uma mulher na cova?...

Será isto bastante? Dizei-o vós, ó benévolas leitoras: pode com isto só alimentar-se a vida do coração?

— Pode, sim.

— Não pode, não.

— Estão divididos os sufrágios: peço votação.

— Nominal?

— Não, não.

— Porquê?

Porque há muita coisa que a gente pensa, e crê e diz assim a conversar, mas que não ousa confessar publicamente, professar aberta e nomeadamente no mundo.

Ah! sim... ele é isso! Bem as entendo, minhas senhoras: reservemos sempre uma saída para os casos difíceis, para as circunstâncias extraordinárias. Não é assim?

Pois o mesmo farei eu.

E posto que hoje, faz hoje um mês, em tal dia como hoje, dia para sempre assinalado na minha vida, me aparecesse uma visão, uma visão celeste que me surpreendeu a alma por um modo novo

e estranho, e do qual não podia dizer decerto como a rainha Dido
à mana Anica:

Reconheço o queimar da chama antiga
Agnosco veteris vestigia flammae

posto que a visão passou e desapareceu... Mas deixou gravada
na alma a certeza de que... Posto que seja assim tudo isto, a confidência não passará daqui, minhas senhoras; tanto basta para
se saber que estou suficientemente habilitado para cronista da
minha história, e a minha história é esta.

Era no ano de 1832, uma tarde de Verão como hoje calmosa,
seca, mas o céu puro e desabafado. À porta dessa casa entre o
arvoredo, estava sentada uma velinha bem passante dos setenta,
mas que não mostrava. Vestia uma espécie de túnica roxa que
apertava na cintura com um largo cinto de couro preto, e que
fazia ressair a alvura da cara e das mãos longas, descarnadas, mas
não ossudas como usam de ser mãos de velhas; toucava-se com
um lenço da mais escrupulosa brancura, e posto de um jeito particular a modo de toalha de freira; um mandil da mesma brancura, que tinha no peito e que afectava, não menos, a forma de
um escapulário de monja, completava o estranho vestuário da
velha. Estava sentada numa cadeira baixa do mais clássico feitio;
textualmente parecia a que serviu de modelo a Rafael para o seu
belo quadro da Madona della Sedia.

Como nota histórica e ilustração artística seja-me permitido
juntar aqui em parêntesis, que, não há muito, vi em casa de um
sapateiro remendão, em Lisboa, no Bairro Alto, uma cadeira
tal-e-qual; torneados piramidais, simples, sem nobreza, mas elegantes.

Tornemos à velhinha.

Estava ela ali sentada na dita cadeira, e diante de si tinha uma dobadoura que se movia regularmente com o tirar do fio que lhe vinha ter às mãos a enrolar-se no já crescido novelo.

Era o único sinal de vida que havia em todo esse quadro. Sem isso, velha, cadeira, dobadoura, tudo parecia uma graciosa escultura de António Ferreira ou de um daqueles quadros tão verdadeiros do Morgado de Setúbal.

O movimento bem visível da dobadoura era regular, e respondia ao movimento quase imperceptível das mãos da velha. Era regular o movimento, mas durava um minuto e parava, depois ia seguindo outros dois, três minutos, tornava a parar: e nesta regularidade de intermitências se ia alternando como um pulso de um que treme sezões.

Mas a velha não tremia, antes se tinha muito direita e aprumada: o parar do seu lavor era porque o trabalho interior do espírito dobrava, de vez em quando, de intensidade e lhe suspendia todo o movimento externo. Mas a suspensão era curta e mesurada: reagia a vontade, e a dobadoura tornava a andar.

Os olhos da velha é que tinham uma expressão singular; voltada para o poente não os tirou dessa direcção nem os inclinava de modo algum para a dobadoura que lhe ficava um pouco mais à esquerda. Não pestanejavam, e o azul de suas pupilas, que devia de ter sido brilhante como o das safiras, parecia desbotado e sem lume.

O movimento da dobadoura estacou agora de repente, a velha pousou tranquilamente as mãos e o novelo no regaço, e chamou para dentro de casa:

— Joaninha!

Uma voz doce, pura, mas vibrante, destas vozes que se ouvem rara vez, que retinem dentro da alma e que não esquecem nunca mais, respondeu de dentro:

— Senhora? Eu vou, minha avó, eu vou.

— Querida filha!... como ela me ouviu logo! Deixa, deixa: vem quando puderes. É a meada que se me embaraçou.

A velha era cega, cega de gota serena, e paciente, resignada como a providência misericordiosa de Deus permite quase sempre que sejam os que neste mundo destinou à dura provança, de tão desconsolado martírio.

— Aqui estou, minha avó: é a sua meada?... eu lha endireito — disse Joaninha, saindo de dentro, e com os braços abertos para a velha. Apertou-a neles com inefável ternura, beijou-a muitas vezes, e tomando-lhe o novelo das mãos, num instante desembaraçou o fio e lho tornou a entregar.

A velha sorria com aquele sorriso satisfeito que exprime os tranquilos gozos de alma, e que parecia dizer:

— Como eu sou feliz ainda, apesar de velha e de cega! Bendito sejais, meu Deus.

Esta última frase, esta bênção de um coração agradecido, que expira suavemente para o céu como sobe do altar o fumo do incenso consagrado, esta última frase transbordou-lhe e saiu articulada dos lábios:

— Bendito seja Deus, minha filha, minha Joaninha, minha querida neta. E Ele te abençoe também, filha!

— Sabe que mais, minha avó? Basta de trabalhar hoje; são horas de merendar.

— Pois merendemos.

Joaninha foi dentro de casa, trouxe uma banquinha redonda, cobriu-a com uma toalha alvíssima, pôs em cima fruta, pão, queijo, vinho, chegou-a para o pé da velha, tirou-lhe o novelo da mão e arredou a dobadoura. A velha comeu alguns bagos de um cacho dourado que a neta lhe escolheu e pôs nas mãos, bebeu um trago de vinho, e ficou calada e quieta, mas já sem a mesma expressão de felicidade e contentamento sossegado que ainda agora lhe luzia no rosto.

As animadas feições de Joaninha reflectiam simpaticamente a mesma alteração.

Joaninha não era bela, talvez nem galante sequer no sentido

popular e expressivo que a palavra tem em português, mas era o tipo da gentileza, o ideal da espiritualidade. Naquele rosto, naquele corpo de dezasseis anos, havia por dom natural e por uma admirável simetria de proporções toda a elegância nobre, todo o desembaraço modesto, toda a flexibilidade graciosa que a arte, o uso e a conversação da corte e da mais escolhida companhia vem a dar a algumas raras e privilegiadas criaturas no mundo.

Mas nesta foi a Natureza que fez tudo, ou quase tudo, e a educação nada ou quase nada.

Poucas mulheres são muito mais baixas, e ela parecia alta: tão delicada, tão *élancée* era a forma airosa do seu corpo.

E não era o garbo teso e aprumado da perpendicular «miss» Inglesa que parece fundida de uma só peça; não, mas flexível e ondulante como a hástea jovem da árvore que é direita mas dobradiça, forte da vida de toda a seiva com que nasceu, e tenra que a estala qualquer vento forte.

Era branca, mas não desse branco importuno das louras, nem do branco terso, duro, marmóreo das ruivas — sim daquela modesta alvura da cera que se ilumina de um pálido reflexo de rosa de Bengala.

E de outras rosas, destas rosas que denunciam toda a franqueza de um sangue que passa livre pelo coração e corre à sua vontade por artérias em que os nervos não dominam, dessas não as havia naquele rosto: rosto sereno como é sereno o mar em dia de calma, porque dorme o vento... Ali dormiam as paixões.

Quando se levanta a mais ligeira brisa, basta o seu macio bafejo para encrespar a superfície espalhada do mar.

Sussurre o mais ingénuo e suave movimento de alma no primeiro acordar das paixões, e verão como sobressalta os músculos agora tão quietos daquela face tranquila.

O nariz ligeiramente aquilino: a boca pequena e delgada não cortejava nem desdenhava o sorriso, mas a sua expressão natural e habitual era uma gravidade singela que não tinha a menor aspereza nem doutorice.

Há umas certas boquinhas gravezinhas e espremidinhas pela doutorice que são a mais aborrecidinha coisa e a mais pequenina que Deus permite fazer às suas criaturas fêmeas.

Em perfeita harmonia de cor, de forma e de tom com a fina gentileza destas feições, os cabelos, de um castanho tão escuro que tocava em preto, caíam de um lado e outro da face em três longos, desiguais e mal enrolados canudos, cuja ondada espiral se ia relaxando e diminuindo para a extremidade, até lhe tocarem no colo quase lisos.

Em estilo de arte — no estilo da primeira e da mais bela das belas-artes, a *toilette* — este é um defeito, bem sei.

Que votos, que novenas se não fazem a São Barómetro nas vésperas de um baile para lhe pedir uma atmosfera seca e benigna que deixe conservar, até à quarta contradança ao menos, a preciosa obra de carrapito e ferro quente, de macáçar e mandolina que tanto trabalho e tanto tempo, tantos sustos e cuidados custou!

Bem sei pois que é defeito, e, será... mas que adorável defeito! Que deliciosas imagens que excita de abandono — passe o galicismo —, de confiança, de absoluta e generosa renúncia a todo o capricho, de perfeita e completa abdicação de toda a vontade própria!

Em geral, as mulheres parecem ter no cabelo a mesma fé que tinha Sansão: o que nele se ia em lhos cortando, cuidam elas se lhes vai em lhos desanelando? Talvez: e eu não estou longe de o crer; canudo inflexível, mulher inflexível.

Os peralvilhos negam a existência do tal canudo *in rerum natura*, dizem que é como a ave fénix que nasceu de nossos avós não saberem grego. Eu não digo tal porque tenho visto descuidar-se a Natureza em pasmosas monstruosidades.

Enfim, suspendamos, sem o terminar, o exame desta profunda

e interessante questão. Fica adiada para um capítulo *ad hoc,* e voltemos à minha Joaninha.

Caíam de um lado e de outro da sua face gentil aqueles graciosos anéis: e o resto do cabelo, que era muito, a entrançar-se e enrolar-se com a singela elegância abaixo da coroa de uma cabeça pequena, estreita e do mais perfeito modelo.

As sobrancelhas, quase pretas também, desenhavam-se numa longa curva de extrema pureza, as pestanas longas e assedadas faziam sombra na alvura da face.

Os olhos porém — singular capricho da natureza, que no meio de toda esta harmonia quis lançar uma nota de admirável discordância! Como poderoso e ousado maestro que, no meio das frases mais clássicas e deduzidas da sua composição, atira de repente com um som agudo e estrídulo que ninguém espera e que parece lançar a anarquia no meio de ritmo musical... os diletantes arrepiam-se, os professores benzem-se; mas aqueles cujos ouvidos lhes levam ao coração a música, e não à cabeça, esses estremecem de admiração e entusiasmo... Os olhos de Joaninha eram verdes... não daquele verde descorado e traidor da raça felina, não daquele verde mau e destingido que não é senão azul imperfeito, não; eram verde-verdes, puros e brilhantes como esmeraldas do mais subido quilate.

São os mais raros e os mais fascinantes olhos que há.

Eu, que professo a religião dos olhos pretos, que nela nasci e nela espero morrer... que alguma rara vez que me deixei inclinar para a herética pravidade do olho azul, sofri o que é muito bem feito que sofra todo o renegado... eu, firme e inabalável, hoje mais do que nunca, nos meus princípios, sinceramente persuadido que fora deles não há salvação, eu confesso todavia que uma vez, uma única vez que vi dos tais olhos verdes, fiquei alucinado, senti abalar-se pelos fundamentos o meu catolicismo, fugi escandalizado de mim mesmo, e fui retemperar a minha fé vacilante, na contemplação das eternas verdades, que só e unicamente se encontram

ﾑonde está toda a fé e toda a crença... nuns olhos sincera e leal-
ﾍnente pretos.

Joaninha porém tinha os olhos verdes; e o efeito desta rara
feição naquela fisionomia à primeira vista tão discordante — era
em verdade pasmoso. Primeiro fascinava, alucinava, depois fazia
uma sensação inexplicável e iﾍdecisa que doía e dava prazer ao
mesmo tempo: por fim, pouco a pouco, estabelecia-se a corrente
magnética tão poderosa, tão carregada, tão incapaz de solução de
continuidade, que toda a lembrança de outra coisa desaparecia,
e toda a inteligência e toda a vontade eram absorvidas.

Resta só acrescentar — e fica o retrato completo — um simples vestido azul-escuro, cinto e avental preto, e uns sapatinhos
com as fitas traçadas em coturno. O pé breve e estreito, o que se
adivinhava da perna, admirável.

Tal era a ideal e espiritualíssima figura que em pé, encostada
à banca onde acabava de comer a boa da velha, contemplava,
naquele rosto macerado e apagado, a indizível expressão de tristeza que ele pouco a pouco ia tomando e que toda se reflectia,
como disse, no semblante da contempladora.

A velha suspirou profundamente, e fazendo como um esforço
para se distrair de pensamentos que a afligiam, buscou incerta-
mente com as mãos o novelo da sua meada:

— O meu novelo, filha; não posso estar sem fazer nada, faz-
-me mal.

— Conversemos, avó.

— Pois conversemos: mas dá-me o meu novelo. Não sei o que é,
mas quando não trabalho eu, trabalha não sei o quê em mim que
me cansa ainda mais. Bem dizem que a ociosidade é o pior lavor.

Joaninha deu-lhe o novelo e pôs-lhe a dobadoura a jeito.

A velha sentiu o quer que fosse na mão, levou-a à boca e
pareceu beijá-la; depois disse:

— Bem vi, Joaninha!

— O quê, minha avó? que viu?

— Vi, filha, vi... sem ser com os olhos que Deus me cerrou para sempre — louvado seja Ele por tudo! — vi, sentindo esta lágrima tua que me caiu na mão, e já cá está no peito porque a bebi, Joana. Oh filha, já! é muito cedo para começar, deixa isso para mim que estou costumada: mas tu, tu com dezasseis anos e nenhum desgosto!

— Nenhum, avó! E estamos sozinhas nós duas neste mundo, minha avó neste estado, eu nesta idade, e...

— E Deus no céu para tomar conta de nós... Mas que é? Olha, Joana: eu sinto passos na estrada, vê o que é.

— Não vejo ninguém.

— Mas oiço eu... Espera, é Frei Dinis; conheço-lhe os passos.

Mal a velha acabou de pronunciar este nome, surdiu, detrás de umas oliveiras que ficavam na volta da estrada, da banda de Santarém, a figura seca, alta e um tanto curvada de um religioso franciscano que, abordoado em seu pau tosco, arrastando as suas sandálias amarelas e tremendo-lhe na cabeça o seu chapéu alvadio, vinha em direcção para elas.

Era Frei Dinis, com efeito, o austero guardião de São Francisco de Santarém.

FIALHO DE ALMEIDA
(1857-1912)

Fialho é um dos escritores portugueses que mais fortemente acusam a presença da sua terra nos seus livros, embora a formação citadina do seu espírito, predilecções cosmopolitas e um estilo laborioso e requintado o tenham impedido de se concentrar. numa obra de expressão popular. No seu vincado fundo alentejano e plebeu lutavam um esteta e um aristocrata.

Fialho nasceu em Vila de Frades, no «campo branco», em pleno Alto Alentejo, numa zona de plainos e charnecas que ainda no fim do século XVIII um Bispo de Beja, o grande D. Fr. Manuel do Cenáculo, teve de mandar colonizar, como faziam os Abades de Alcobaça à faixa central do país nos primeiros tempos da monarquia. Era uma família de pequenos lavradores. O pai, mestre-escola, morreu cedo. Fialho frequentara um Colégio ao Conde Barão, em Lisboa, onde um ensino deficiente e um regime de internato tumultuário lhe feriram para sempre a sensibilidade e o espírito. Alguns anos de praticante de farmácia agravaram esse recalque, que dominou toda a vida do escritor, fazendo dos seus contos e panfletos uma desforra fantástica, imaginária; uma verdadeira e por vezes estupenda descarga verbal.

Obrigado a ganhar a vida e a administrar de longe a pequena casa paterna, Fialho conseguiu fazer o curso de Medicina com grande dificuldade, dado o seu feitio boémio e a sua indisciplina estrutural.

A sua frequência da Escola Médica e dos cafés de Lisboa, por onde desfila toda a sociedade portuguesa e onde se cruzam as classes, completou-lhe uma larga experiência dos homens e da vida. Médico, uma efémera clínica na Bairrada ampliou e variou essa experiência, encetada na sua infância de aldeão e de onde em onde renovada ao contacto com a terra natal, de longe desejada e ao perto aborrecida.

O próprio Fialho invoca a sua familiaridade com as classes ínfimas e com os seus sofrimentos; desvanece-se dela; irmana-se com os humildes e alimenta

259

o sonho de os desforrar exprimindo-os. Mas, como «desforra», a sua obra é ine-
xoravelmente autocêntrica, autobiográfica. Os seus contos, espalhados pelo volume
que tem esse nome, duplicado do título de Doentios (1881); pela Cidade do Vício
(1882); O País das Uvas (1892), e por recolhas póstumas, como À Esquina
e Aves Migradoras, ora são retratos de boémios, de artistas obcecados por uma
estesia, ou por uma obra falhada, como o Funâmbulo de Mármore, ou longas
e romanescas históricas de mulheres imponderáveis, como Madona do Campo
Santo, ora anedotas esfuziantes, de bem contadas, como O Tio da América e
Los de Manganezes, em que a novelística se socorre da reportagem, do caderno
de viagem, da técnica do artigo e do suelto. Mas o género feliz de Fialho, aquele
em que o escritor deixou pequenas obras-primas, é o conto rústico, com a sua
breve intriga perfeitamente focada, o ambiente exacto e poderoso, os tipos surpreendidos na conduta exterior e na fala, o sentimento ardente e vivo da paisagem,
que nos Novilhos, por exemplo, quase se personaliza e anima — enfim um poder
demoníaco de expressão da terra compenetrada com o homem, expressão que cria
um estilo surpreendente, entre espiritual e animal, capaz de todos os matizes, apesar dos seus materiais impuros: francesismos constantes, neologismos escusados,
imagens e metáforas de mau gosto.

As mesmas qualidades avultam nas pequenas manchas e quadros da vida de
Lisboa que Fialho traçou, e que dão fundo a vidas humildes e poéticas, sobretudo
crianças, como o marçanito desse admirável, embora um pouco difuso conto
O Roubo e a infância de João, o aprendiz de marceneiro que engana A Ruiva,
a filha do coveiro.

Esta extrema sensibilidade de Fialho ao mundo infantil, documentada também no conto rústico Sempre Amigos, um dos mais belos que deixou, alarga-se
ainda a breves narrativas como Ninho de Águia, que parecem desprendidas de uma
autobiografia que Fialho realizou aqui e além, sem sequência, e que é muito mais
impressiva, embora às vezes enfeitada e transposta, do que o trecho declaradamente
dado como autobiográfico, o Eu de À Esquina.

Fialho combinou os seus raros dons críticos de esteta e de «costumbrista»
com o azedume que a vida lhe deu e que o seu temperamento extremista e romântico transformou num ingrediente do estilo. Assim, tanto a sua crítica literária
(artigos sobre Eça de Queirós e Guilherme de Azevedo), como a sua vasta e frag-
mentada crítica de artes plásticas, de teatro, de exposições, de certames, de
costumes, fica afogada num mar de polémica e de sátira. Os Gatos, publicação
periódica e fascicular, em que Fialho levanta tantos problemas, muitas vezes admiravelmente formulados, nem por isso deixam de ser um acervo de galhofas, comen-
tário perpétuo de um desfile de sistemáticos ridículos a que o espectador (neste caso,
o autor) acaba por se somar, contagiando-se do processo.

Se foi na polémica e na caricatura que Fialho firmou a sua voga de escritor, a verdade é que foi nesse jornalismo violento e impressionista que acabou de arriscar as suas grandes qualidades em vastos e invencíveis defeitos: divagação, incapacidade de estrutura, e acima de tudo uma escrita barroca, tufada, feita de estrangeirismos escusados e de neologismos incríveis. Mas também é verdade que se lhe desenvolveu aí o nervo da prosa o vigor plebeu da frase, a rapidez e sem-cerimónia que, se atropela os juízos, é uma fonte viva de epítetos excitantes e cores justas.

A obra de Fialho, vasta e múltipla, não terá disciplina nem o sereno vigor que vem de uma construção novelística sólida e sóbria. Mas, pela variedade de géneros por que se distribui, e sobretudo pelo esforço titânico de trânsito de uns a outros, pela verve inesgotável, o poder alternado de impropério e de compaixão, a delicadeza emotiva, o estilo polifónico, ardente, obsidiante, tem um dos melhores lugares na literatura portuguesa.

[A VIDA NO RIBATEJO]

(AS PEGAS)

As pegas são um desfecho de espectáculo que em boa lógica taurina não poderá subsistir com a morte à espada, mas que eu no entanto gostaria de ver continuar nos redondéis cá do País. Pela pega realiza o toureiro o mito de Hércules, domando a pulso forças da natureza hiantes contra ele; mesmo fora do simbolismo duma tal luta, nada mais do que considerando apenas a beleza plástica do esforço, que maravilhosas satisfações instintivas de orgulho não causa à plebe, com os seus músculos de carga, e a sua gama sentimental restrita a factos simples, o ver-se a primeira na escala dos brutos! Acresce que sendo a pega invento pátrio, e não cumprindo desnacionalizar a tourada portuguesa além dos pontos em que ela está incompleta ou mal compreendida, forçoso vai ser conservá-la, a despeito de tudo, ao lado da sorte de morte, fazendo-as, já se vê, praticar em bichos alternados, e remodelando o grupo de forcados pela forma especial que vou dizer.

Hão-de ter visto ferras e tentas nalguma sede de criação ribatejana. Coisa impetuosíssima de vida, esturderia suprema, plenitude juvenil, hilariança! Na ferra, a rez adolescente, já fantil, saída apenas do hausto das vacas, é subjugada a pulso de maltês, antes de sofrer no flanco o ferro em brasa: eis a pega natural, original: adolescência com adolescência, corno com pulso, bravura de rez com bravura de rapaz. O espectáculo assim compreendido, aberto sem excepção à valentia da rapaziada das aldeias, que necessita ser forte para o trabalho das terras e para a obra da resistência à miséria, companheira inexorável do campónio, é uma espécie de exame público de saúde e validez, que lisonjeia quem vence, hilaria e entusiasma o espectador, dando a média dos torsos robustos, e recrutando nos povoados, para a agricultura, para as armas, para a espécie, a falange sagrada dos futuros lutadores. A ferra aberta, quem se sente em pletora desce à arena, bate palmas ao bicho, abre os braços e apara-lhe com denodada fereza, o jogo da cabeça ficando, como um cacho contráctil, espendurado entre os cornos, e fazendo deter na carreira o generoso e eléctrico animal. Não há por certo em parte alguma do mundo, um jogo atlético onde aos requisitos de força venha juntar-se maior soma de factores estatuários — e nada como a escultura para fixar no espírito a instantânea graça da atitude, e envaidecer da sua formosura sublime, o homem forte! Por que não hão-de ser isto as pegas na tourada? Em vez de oito borrachões injectados de estupidez, envelhecidos em tombos, fazendo vida de gladiadores sórdidos, e morrendo quase todos do deboche adstrito às suas semanas de ociosidade, por que não faremos das pegas um certame de vida máscula, com inscrição facultada a todos os rapazes destemidos, aos clubes de desportismo atlético, aos jovens ginastas e traga-balas da cidade?

[U M   C Í R I O]

Como o santuário da Atalaia é pequeno e sem albergarias para rómeiros, como poucas casas se vêem nas rossias de redor, os trinta ou quarenta círios que lá se juntam, nos últimos sábados e domingos de Agosto, arrumados os andores e apetrechos devotos, à lufa-lufa, no templo, armam tendas a esmo pelos campos, acendem fogueiras, vá de fazer comida, de tocar e bailar o fado ao som das guitarras e das violas, de decilitrar e fazer arruaça toda a noite, até que a madorna de alva os amesenda num sono de borrachos, deixando alguns pares solitários às vezes em bem acusadoras posições. O movimento de gente às festas do domingo, é, no santuário da Atalaia, de três a quatro mil pessoas: vão de Alcochete, vão da Moita, vão de Alhos Vedros, vão de Setúbal, vão de Palmela, vão de Azeitão, de Sesimbra, etc. — afora os seis ou sete círios que, como disse, saem dos bairros populares de Lisboa. Todo o dia largam vapores do Cais do Sodré, levando forasteiros, através do Tejo, para Aldeia Galega. Ao longo da estrada que abre na ermida, toldos de lona abrigam botequins e vendas de fruta e vinho, ruidosas de gargalhadas e descantes. É uma poeirada sufocante; o Sol caustica, e a cada momento gritos: Afasta! É homem! É homem! — são os cocheiros avisando a turbamulta dos pedestres que abra alas por onde fiadas de carros cortam, num furacão de guizos, estalos de chicote, pragas e *açuíces*...

Na madrugada de sábado para domingo, quando os primeiros clarões do dia ascendem, com a sua pancada de asa, no azul seco e metálico de Agosto, há uma curiosa cerimónia a gozar no chafariz que junto fica quase à igreja da Atalaia. É a lavagem das caras dos romeiros, que se ordenam por grupos, terras, vizinhanças, e vão das suas tendas processionalmente, ao chafariz, como outros tantos círios laicos, alguns com as filarmónicas no coice, e à frente o mordomo ou juiz, que leva no braço a toalha com que, lavagem feita, se enxugam os carões de toda aquela rustilhada. Chegados ao tanque, vá de tirar os casacos e as blusas, de arregaçar a camisa e mergulhar na água as trombas sujas da poeira e as manápulas viscosas da porcaria dos festins. Aí começam tumultos facetos: o círio que chegou primeiro não quer ceder lugar aos estranhos que vêm depois; há gritarias, dichotes, chapadas de água para o monte, debandadas de mulheres ganindo porque lhes molharam os casibeques... Intervenção dos maridos e dos manos, arremedos de batalha, até que algum trombone cheio de água se despeja na cabeça de algum fogoso desordeiro — depois do que, no meio das gargalhadas, uma borracha congraça no mesmo pé de quermesse as sem--razões de gregos e troianos. Às oito horas começam no templo as festarolas. Há círios privilegiados que vão primeiro; outros que se inscrevem por ordem de chegadas; alguns, refilões, que se metem adiante, a ver se a coisa pega...

(De *À Esquina*)

[UMA HERDADE ALENTEJANA]

PRECISAMENTE esse dia, a aldeia de S. Matias suspendera os trabalhos do campo em sinal de festa; os das herdades tinham vindo com os seus cajados e as rudes botas altas de couro branco; rolavam bailaricos por todas as casas; e no terreiro da igreja, às portas das vendas, no balcão da escola régia ou mesmo às embocaduras das ruas, por aqui, por ali, os camponeses em ranchos, fato novo, ruborescências de vinho no queimar da face, havia mais de três horas que aguardavam a boda. Os campos, nesses meados de Junho, tinham primeiros dourados do trigo maduro, ondũlante e farto, que a aura por zonas encama numa saudação graciosa; por um lado e outro, entre gavelas arrepeladas sem ordem, remoinhos desflorados de messe, como lábios de rapariga ardente, ria o escarlate das papoilas; e como aos sóis da quadra tinham vindo as cigarras, ruído da cega-rega, trocavam alertas de árvore em árvore, à medida que ia avançando o Verão. Entanto ainda as noites eram frias, e o orvalho da manhã perlava nas folhas secretas lágrimas de amor traído; corria mesmo água por alvercas e ribeiros, fria, salobra das terras atravessadas, dando erectos viços aos panascais verdejantes, às junças e mentrastes das ribanceiras. Microscopicamente, as vinhas iam esboçando cachos, entre pâmpanos pisados de amarelo e vermelho-ferrugem; começam a vir os perdigotos, as rolas tinham chegado de uma áspera migração, e desconfio que os melros, casados de fresco, fazendo música de opereta entre os murmúrios das canas e dos silvados, arredondavam já os seus ninhos, à espera da petizada. Nessa grande paz bucólica, a alma abraçava simples ideais de ventura, nua de ambições desordenadas e volúpias lívidas e na doçura de palpitar entre aromas silvestres, ia voando em cata de amores delicados em mansos idílios, pelas veredas onde as condoídas espigas se curvavam, a depor nos regaços esmolinhas do primeiro trigo em sazão. Vista de longe, a aldeia era encantadora de alegria e brancura. Nas colinas, de roda, empoleiradas ermidas vigiavam por ela dia e noite; Deus foragido pela descrença das cidades, andava por ali talvez na estatura de algum velho mendigo de falas doces e resignada humildade; e pela noite, quando os rebanhos vagarosos seguiam para os currais, esse cantinho rústico tinha cenas bíblicas de uma graça inocente, pastores e pastoras ajoelhando ao toque das Trindades para dizer o *angelus,* risos de ganhões pelas devesas, cantigas que se apagavam nas corcovas dos caminhos, enfim tudo quanto entretece a elegia plangente do morrer do Sol. Esse dia casava-se o Carlinhos com a prima Dora e as duas casas fortes do distrito tantos anos separadas por ódios, iam enfim restaurar-se na boa cordialidade, por esse laço dos primogénitos.

Desconforme com um domínio, era esse pátio de muralhas rudes e portadas soberbas, onde os varões de bronze raiavam, e pendiam das portas formidandas, como corações de molochs, os grandes cadeados de ferro. Descia-se das cozinhas por um balcão de pedra com escadarias laterais e mutiladas estátuas, em cujos velhos pilares se vinha tanchar a dentuça dos corrimões estruídos. Diante do balcão, ia ao fim do pátio uma alameda de castanheiros gigantescos, múrmuros sob a verdura das suas folhas acres, de onde um frescor gotejava no esmaiar da tarde. Um grande portão aberto ao fundo dava sobre os laranjais da horta, sombrios àquela hora num verde metálico condensado, redondos até ao chão relvoso pelas imbibições da rega, húmidos, picados de fruta, e filtrados duma aura toda enervante em nupciais essêncais. Nessa alameda de castanheiros amigos, tantas vezes percorrida do pai e da filha, onde pela manhã palafreneiros passeavam à rédea os cavalos de sela, ou vinham limpar o pequeno coupé de serviço, onde tinham lugar as tosquias, as ferras e as matanças nas épocas da praxe; nessa alameda tinham construído uma mesa sem fim para quem chegasse, homem, mulher ou criança, fosse de onde fosse e viesse de onde viesse. Aos lados alargava-se o pátio até às abegoarias, cavalariças e estábulos. E um tom de boda reinava por toda a parte; nas carretas de trabalho postas em bateria, mais os seus troféus de forquilhas, ancinhos e pás, radiando das joeiras, arneiros e mulins, como panóplias em sala de armas; nas paredes cobertas de murta e gilbarbeira, onde as coroas de espigas maduras faziam rodopiar serpentes de ouro pálido; nas largas manjedouras que as bestas esfocinham rilhando os fenos perfumosos; em arcos de flores de árvore em árvore, risos e saudações levadas a um delírio realmente cativante.

(De *Aves Migradoras*)

[TEARES ALENTEJANOS]

Entre Carregueiro e a fronteira algarvia, porque o terreno exausto pouco rende, exercem as populações desde tempos imemoriais, para viver, a tecelagem do linho, estopa e lãs, em teares caseiros, produzindo panos que durante séculos serviram ao consumo provincial, de onde produtos de melhor tecido e gosto os foram batendo, graças à lei do tráfego que tudo quer barato e bom.

Quem vai à feira de Castro aí topa o resumo das indústrias caseiro-pastoris do «campo branco», e o seu grau de primitividade rústica, que a ninguém ocorre melhorar. Mantas alentejanas em lãs sem preparo, às riscas brancas e pretas, ou mais modernas, já com suas barras de cores, procurando imitar as espanholas; cobertores de tipo análogo; alforjes de trapo, ou couro, ou lã, que usa o maltês, com duas pochas para guardar os pães da comedia; sacaria de estopa, de grã fama por sua dura e barateza; saragoças e estamenhas grossas, fedendo à borra de azeite ranço, com que se veste a gente das brenhas e vilórios serranos; safões de pele de borrego ou cabra, rebordados de gregas de couro, suas costuras a cores, muito vistosas; mobiliário de castanho aplainado, provindo de Monchique, e de onde, como em Évora, se poderia apurar alguma indústria delicada...

Na esquálida planície de entre Carregueiro e Sabóia, não há casinha onde o tear não quede ao canto, para os serões da lareira inverniça, ou para a tristeza daqueles dias de chuva em que a lavoura não dá faina, e tem de se ficar em casa a ouvir o vento fanfar na telha-vã.

Essas pobres tecedeiras, quase todas de tipo raquítico, com caroços no peito e rosetas nos malares, de febre lenta! Simpáticas e industriosas abelhas que à noite pedem ao tear o suprimento do pão que a seara de três a quatro sementes lhes recuşa!

Criaturinhas pálidas, de riso triste, vendendo com seus dedos de espátula, suas faces desbotadas, por meia dúzia de vinténs todo o bragal de um ano de misérias!

(De *Saibam quantos...*)

272

MANUEL TEIXEIRA GOMES

Teixeira Gomes e Júlio Dantas são os escritores mais representativos do Algarve, depois de João de Deus. Aquela província extrema, a mais arredada do território portucalense e fora dos lindes centrais (beirões e alentejanos) do país, demorou a contribuir para o nosso património cultural, como tardou um pouco a encorporar-se no território nacional. O reino do Algarve, embora tão castiçamente português como qualquer outra província, conservou sempre não sei quê de marginal em relação ao resto do país, ocûpando nessa excentricidade, sob certos aspectos, posição simétrica à das regiões do nosso nordeste transmontano. Ao relativo apartamento, de signo continental e leonês, das terras de Miranda (por exemplo), corresponde o distanciado algarvio, o vestíbulo mediterrânico e africano de Portugal.

Quando a este facto de situação não caibam notas profundas, corresponderá contudo uma atenuação do ímpeto e da frequência das correntes de vida que interessam circularmente e periodicamente o Centro, Centro-Sul e o Norte do país. Isto é: o Algarve, portuguesíssimo embora, está como que repousado, como que atenuado no convívio nacional pela intensa e sedativa peculiaridade da sua vida; terra de pescadores, conserveiros e cultivadores de figo e amêndoa; terra de clima suave e aspectos delumbrantes — praia e pomar.

O temperamento de Teixeira Gomes, mais do que alguns motivos algarvios da sua obra, reflecte essa luminosidade e essa delícia física do sul. Nascido numa família próspera, intimamente ligada à riqueza algarvia, Teixeira Gomes fez uma vida elegante e regrada de dândi e de homem de letras, coleccionador de quadros e coisas de arte sem mania nem fúria, crítico e conversador, político e diplomata. Tendo pertencido à roda demolidora, estética e boémia de Fialho, Teixeira Gomes, muito menos dotado do que ele como escritor, realizou socialmente o tipo que Fialho parece ter sonhado e perseguido na sua obra ardente e mordaz de esteta *e panfletário. 1880 — o ano meridiano desta geração de epígonos ou cadetes do realismo — assinala uma forte afirmação do sul de Portugal nas letras. Geração de alentejanos — Fialho, Monsaraz, Brito Camacho; — geração de algarvios — Teixeira Gomes, Coelho de Carvalho, depois João Lúcio.*

Republicano de antes da República, a sua riqueza sem insolência e o seu dandismo sem exagero fizeram dele, naturalmente, um dos diplomatas-natos do novo regime, que lhe ofereceu a delicada e difícil herança do Marquês de Soveral: a legação de Portugal em Londres. Nos seus variados exílios, uns voluntários, outros forçosos ou prudentes, Teixeira Gomes enriqueceu, viajando e vendo, o seu gosto e a sua observação naturais. A sua carreira de escritor tornou-se assim a obra de um grande diletante, um artista discreto e impenitente que sacrifica com prazer a sua independência e a sua regrada e elegante rebelião aos deveres de plenipotenciário, e logo aos de Presidente da República, para as retomar com gosto num longo e voluntário exílio em terras de bom clima e de costumes pitorescos (Bougie).

É nesse seu longo e escolhido envelhecer no Algarve de Além, que Teixeira Gomes, homem do Algarve de Aquém, põe em ordem as suas memórias de homem público e as suas impressões de viajante e de artista, acrescentando a livros tão perfeitos de estilo e de gosto como os da sua mocidade — Inventário de Junho, Agosto Azul *(todo um calendário de um delicioso pagão)*, Sabina Freire e Cartas sem Moral Nenhuma — *obras de tão requintada forma e variada leitura como* Miscelânea, Carnaval Literário, Gente Singular, Cartas a Columbano, Regressos.

Teixeira Gomes funde harmoniosamente o canhenho de viagem com a autobiografia, a crítica com a anedota, a paisagem com o retrato. Algumas das suas Novelas Eróticas *são notáveis. Aí se revela o homem sensual e calmo, gozador sem grossaria, mas declarado e reincidente pecador de todas as volúpias. A intriga, um pouco anedótica mas sempre bem contada, e esse limpo sal de aticismo que tempera o estilo próprio e nítido de Teixeira Gomes dão rara qualidade literária a uma obra sem profunda humanidade nem criaturas, mas delicada, fina, nobre e indulgente, obra de um civilizado e cosmopolita que não deixa de ser português.*

[O ALGARVE]
UMA COPEJADA DE ATUM

Meu caro amigo:

L ENDO a minha última carta terá talvez dito para consigo: que extravagância será a deste homem, agora, que em terras tão remotas, pitorescas e variadas, leva horas a escrever sobre a costa do Algarve? Duas razões há para isso, e qual delas a mais plausível. No curso da vida, quem se não encontrou uma vez a falar, ingénuo, do coração para o coração, e se, depois, o amor, ou a ilusão do amor, se lhe desfez, que mimosa recordação lhe não ficou desses momentos em que a alma parecia ter revertido à candura do Paraíso perdido? Foi assim o amor que me inspirou o mar da minha terra; diferente dos outros amores em nunca ter sofrido desilusão, antes ampliado e sublimado pela separação e pela ausência. Ali, durante anos, destemido, sereno, livre e forte, como um semideus — e quase na persuasão de que realmente o era — vivi na pureza das águas desse mar, sondando-lhe as profundezas cristalinas, rolando nas volutas das ondas encapeladas, como se ele fora o meu elemento natural; despido e nu de toda a malícia, de todo o pecado, nele me embalava horas sem fim, sonhando com os astros, e entre sonhos, imaginando que, talvez, um dia, para eles fosse arremesado... É-me prazer ine-

275

fável recordar esses anos, ou pelo menos os cenários em que decorreram; e aqui está a primeira razão. A segunda vem de que me é muito mais fácil fazê-lo a distância. Porque é que tanto me enleia e confunde escrever meia dúzia de linhas sobre uma paisagem, um quadro, um monumento, que me estão diante dos olhos, e logo que se afastam, a ponto de não serem já perceptíveis, as observações, o discorrer, que eles motivam, tomam formas e (correntemente) a linguagem lhes dá expressão abundante e apropriada? Excesso de imaginação, talvez, que se sente restringida, limitada, cerceada, pelo testemunho do modelo em presença, e que pode trabalhar livremente sobre ele, quando está ausente. E enquanto lhe escrevia a minha última carta, mais de uma vez me acudiu à lembrança a promessa que fiz, já não sei a quem — ao Jaime Cortesão, se me não engano — de dar, para o *Guia de Portugal* dos rapazes da *Seara Nova,* a descrição de «uma copejada de atum». Fiquei sempre pensando que era agora — de longe — boa ocasião de a fazer. Pois vou tentá-lo hoje, e se lhe parecer que pode servir, guarde-a para o caso de eles um dia a pedirem.

A costa, a leste de Portimão, continua alcantilada e pitoresca em algumas léguas, mas de difícil acesso, com pequenas e raras praias, na boca de apertadas ravinas. Assim é a praia do «Carvoeiro», que serve aos habitantes da Lagoa para banhos e passeio.

Aí tinham uns amigos meus o arraial de uma armação de atum, lançada mesmo em frente da praia, a três ou quatro quilómetros de distância, no alto mar, que me proporcionou, pela primeira vez, o espectáculo de uma «copejada».

Era no fim de Maio, com vento mareiro e águas claras, indispensáveis para trazer à costa os cardumes do atum, que se assusta e foge à menor sombra que lobriga. Esperava-se farta passagem de peixe e eu recebera aviso para comparecer.

Logo à minha chegada, ao cair da tarde, fizeram sinal da armação de que um «bom cardume» de peixe se aproximava. A notícia causou profunda sensação, pois as vigias, sempre cautelosas, o mais que anunciam, de ordinário, é o aparecimento de alguns peixes, «poucos», e eu fui recebido pelos meus amigos, festivamente, como se a minha presença tivesse chamado atum.

O director técnico da sociedade (um Joaquim Negrão, curiosa figura desportiva, donjoanesca, aventurosa; o mesmo que em moço levara o Antero à América, numa escuna que ao tempo comandava) seguia, por grande óculo de alcance, o que se passava na armação, e ia comunicando as informações colhidas. O atum era muito, acudira bem ao «atalho», e entrara no copo, onde esperaria a madrugada seguinte para ser pescado.

«Onde esperaria»...

Para os pescadores uma noite dessas é de incomparável ansiedade; não vá o ruaz entrar na armação e senti-lo basta para que o atum, tomado de pânico, faça acuada e abra caminho, rompendo o copo com o peso, e desaparecendo em poucos minutos.

E o que isto significa?! A grande esperança frustrada; a rede inutilizada e levada para terra a conserto; dias perdidos no tão apertado período da pesca, que para o atum de direito não vai além de um mês escasso, e logo na boa monção de águas claras, que raramente se repete no mesmo ano.

Sem embargo, alegre decorreu o jantar, e para desfazer cuidados, os meus anfitriões deram-nos à sobremesa um velho bastardinho, criado nas areias de Alvor, capaz de desanuviar a alma do próprio Job.

Notícias mais precisas, trazidas pelo mandador da armação, avaliavam o peixe entrado em oitocentas cabeças, o que daria uma copejada esplêndida a todos os respeitos: lucrativa e pitoresca.

Depois do jantar o Negrão leccionou-me um pouco sobre o que era uma armação, e o que se conhecia dos costumes do atum.

O covo ou copo da armação, que é um longo e perfeito rectângulo, está fixo no fundo do mar por pesadas fateixas, a que o prendem cabos de aço; e à superfície segura-se na amurada das grandes lanchas que o cercam, das quais a maior, chamada da «testa»

277

ocupa uma das extremidades mais estreitas do rectângulo. Na extremidade oposta está a entrada — «as portas» — da armação precedida de um jogo de redes, cujos movimentos permitem encaminhar o peixe para dentro do copo; esta operação chama-se «atalhar». A começar das portas, estendendo-se muito pelo mar fora, segue uma rede de metro e meio de altura, suspensa em boias de cortiça, e esticada por pesos de chumbo, a que se chama «rabeira».

O atum, que anda em cardumes, procurando a proximidade da costa para desovar, se entra na faixa de água limitada pela rabeira e lhe vê a sombra, assustadiço, como é, em vez de tentar atravessá-la, vai-a seguindo mansamente, à busca da saída, e mansamente cai nas portas da armação, que se fecham apenas o apanham dentro.

Antes de desovar, o atum chama-se «de direito», e as armações que o apanham têm a boca voltada para oeste, de onde ele vem na derrota do Estreito; essas armações, postas com a boca voltada para leste, servem para o atum de «revés», que regressa em poucas semanas, já desovado e magríssimo. Daí a grande diferença de valor entre os atuns de direito e de revés, sendo aqueles aproveitados especialmente em conservas e estes para a salga.

O seu grande inimigo é o ruaz, cetáceo potentíssimo, que os persegue também em cardumes, e lhes come de preferência a barriga, de uma só dentada, atirando-os depois ao ar, como se fossem peles cheias de vento. Um atum adulto pesa de seis a doze arrobas, mas o ruaz é um monstro da forma do tubarão, com oito metros e mais de comprido. Este monstro, porém, não ataca o homem, e eu tive disso a prova, porque uma vez, nadando longe da costa, alguns vi e por eles fui visto, sem me fazerem mal; eu é que não sei como escapei do susto!

A copejada faz-se levantando uma rede móvel chamada «céu», que está no fundo do copo, e vai lentamente trazendo o peixe à superfície da água, onde ele é apanhado pela gente da campanha debruçada sobre as barcas, e tendo preso no pulso direito, por uma corda, um pequeno arpão móvel. O peixe corre em círculo à roda das barcas, e quando lhes passa ao alcance, o pescador mete--lhe o arpão e puxa-o para dentro da barca, onde ele entra e cai pelo seu próprio impulso, desprendendo-se do arpão automaticamente, apenas transpõe a borda da lancha. Uma criança de dez anos pode, assim, pescar peixes de dez arrobas.

Ainda a madrugada não dava sinais de romper, já nos encontrávamos no bote que nos devia levar à armação. Durante a noite o vento fizera-se mais de terra, mas ainda de má feição; a distância era grande e havia muito que bordejar para a vencer a tempo de assistir ao começo da copejada. Fazia luar; a ondulação do mar, espaçada e surda, era como que abafada por aquela silenciosa luz branca.

O caminho fez-se mais depressa do que julgávamos, e quando entrámos na barca da testa, onde devíamos assistir à pesca, a lua não empalidecera ainda de todo e apenas a nascente dois fios de carmim, tenuíssimos, assinalavam, no céu polido e esverdinhado, o ponto por onde ia surgir o sol.

A companha, como viera duas horas antes, acabava os últimos preparativos para a pesca, ensebando os cabos, experimentando as roldanas, e reforçando as pulseiras dos arpões.

À volta da armação aglomerava-se grande número de lanchas de carga, vindas durante a noite, dos portos vizinhos, onde o telégrafo levara aviso da grande copejada em perspectiva. Essas lanchas, pela ordem da sua chegada, destinavam-se a carregar o peixe que se pescasse, para conduzir à lota de Vila Real de Santo António, o grande mercado do atum, concorrido de italianos e espanhóis.

Mas no enorme agrupamento de gente, batéis e lanchas, de que se distinguiam já claramente as formas e os movimentos, o que surpreendia era o silêncio, inesperado e sempre admirável na gente do mar, e sobretudo em algarvios de tão falaruca fama. Era para não espantar o peixe, como a superstição aconselha.

Rompeu, por fim, o sol, apressado e quente, sem que tivéssemos prestado atenção ao seu glorioso aparecimento, e começou a concertada faina de levantar o céu da armação. Logo aos primeiros movimentos a superfície da água, no recinto da armação, começou também de se encrespar, aqui e ali, de rolos de prata viva; eram pequenos cardumes de sardinha, que fugiam à voracidade do atum. Acudiu-se-lhe com umas redes triangulares, dobradiças, chamadas «muletas», que facilmente a apanhavam e distribuíam pelos convidados. Nós já tínhamos o nosso fogareiro de barro preparado, à espera, com a lata sobre as brasas; ali, em poucos minutos, ficava a sardinha assada, e logo era comida mesmo na ponta da unha, com pão de toda a farinha, minheiro e ainda quente do forno, e regado com um «tinto» áspero de surdo flavor, trazido adrede para aquela função já certa.

Apenas a água principiou a ferver, com a revolução do peixe que se aproximava da superfície, rompeu a mais tremenda gritaria e algazarra de que tenho memória, e que ainda redobrou ao aparecimento dos primeiros atuns. Começou então a toirada.

Sucedeu que o primeiro atum arpoado se escapou, e caído à água com tal velocidade parecia voar, jorrando sangue que o acompanhava de um rasto de púrpura. A assuada ao marujo infeliz foi medonha, e vi jeitos de o atirarem à água. Mas é que os primeiros atuns que apareciam, tendo ainda campo avonde para nadar, fugiam das barcas, enquanto os marujos, abrindo os braços, e com grandes pancadas no costado das lanchas, os incitavam às sortes, como se fossem bois.

Isso, porém, durou pouco. Entre borbolhões de espuma assomou logo uma densa camada de peixe, e tão apertada pelo costado das barcas, que os marujos quase lhe davam às cegas, levantando uma cabeça de cada arpoada.

Viu-se então que o atum era de bom calibre e muito. Ao meu lado, um perito amador, mas de reconhecida autoridade, ia-o contando, e quando chegou aos quinhentos verificou-se que não fazia falta no copo, onde continuava a afluir em camadas igualmente densas.

O sangue e a água, misturados, soltavam-se aos cachões, envol-
vendo os peixes em línguas de púrpura cristalina, e ao centro da
rede faziam remoinho, abrindo um poço fundo e largo, por cujas
paredes transparentes giravam, desvairados, os grandes bichos
cintilantes.

Dissera-me o meu hóspede que o Joaquim Negrão me pre-
parava uma surpresa, e sem o ter esquecido eu pensava, com cep-
ticismo, no que poderia haver de mais surpreendente do que aquele
espectáculo de colossal carnificina, com tal cenário, nunca igua-
lado, nem aproximado pela fantasia do mais asiático dos impera-
dores romanos.

O contador já ultrapassara o milhar e ainda o peixe acudia em
abundância, sendo algum de extraordinário tamanho.

Eram os «velhos manhosos», observava um marujo, que só
aparecem no fim. Com efeito, as camadas que vinham à superfície tornavam-se pouco a pouco menos densas, avolumando ainda
mais as proporções dos «velhos manhosos», que se multiplica-
vam.

O Negrão, aproximando-se do meu grupo, para falar ao mestre da companha, bradou-me: «Agora vou-lhe mostrar um
quadro de mitologia.» «Vamos lá ver» — repliquei, se bem
que pouco disposto ao entusiasmo, já embotado pela prodigiosa
cena a que assistia. Depois de falar com o mandador, o Negrão
gritou para a ré da barca: «Bem, se não há mais nenhum, que
venha cá o Serafim, o Serafim», pôs-se a clamar quase em coro a
marujama, e um rapaz atarracado, embezerrado, e arruivado, como
que lhe veio nos braços, pela amurada fora, até onde o Negrão
estava. E ouvi este, que lhe dizia: «Não quero desculpas; é
para já...»

Então o rapaz, depois de olhar entre envergonhado e receoso
para o meu grupo, principiou a despir aquela quantidade de tra-
palhadas em que os pescadores se envolvem, mesmo de Verão,
quando vão para o mar. E apareceu admiravelmente bem propor-

cionado e forte, com um tronco de coiraça grega, abaulado no peito e estio no ventre, os quadris estreitos, mas as coxas volumosas e de formidável musculatura. Tirante os pulsos, o pescoço e os pés, que andavam tostados do sol, todo ele era de uma brancura marmórea. De pé, na borda da lancha, erguendo os braços e juntando as mãos, tomou um leve balanço e jogou-se à água, sumindo-se entre os peixes.

Mas em poucos segundos ele surgia, quase na extremidade oposta do copo, montando um enorme atum, que, para se desembaraçar da estranha carga, entrou vertiginosamente, saltando sobre o outro peixe que lhe impedia a passagem, ou mergulhando subitamente, para reaparecer alguns metros mais longe, sempre com o tritão às costas, agarrado com a mão esquerda a uma das alhetas, agitando a outra mão no ar, e dando gritos de triunfo. O rapaz estava transfigurado; resplandecia de audácia e mocidade, entre as grandes salsadas de água rubra que lhe lambiam o corpo, e luzia ao sol, como um vivo mármore cor de rosa.

Animados pelo exemplo, outros rapazes se atiravam à água, para cavalgar os peixes, mas nenhum tinha a segurança heróica, nem a graça helénica do Serafim.

A pesca fechou acima de mil e trezentas cabeças. Mais de «treze centos», como dizia a gente da companha. Fora, na verdade, uma copejada maravilhosa.

Tomámos o bote para regressar a terra. O Sol ardia já como fogo, e em volta da armação formara-se um círculo imenso ensanguentado, onde as lanchas, carregadas de peixe, bordejando, abriam silhagens de carmim, que se lhes reflectia nos bojos das velas pandas.

Quando entrámos em águas limpas, senti a necessidade de me purificar, depois daquela monstruosa hecatombe, e atirei-me, nu, ao mar. Após vários mergulhos fundíssimos, até onde o peso morto do corpo me podia levar, passei debaixo dos braços um cabo que lançaram do bote e deixei-me rebocar para terra já meio adormecido...

ADENDA

No momento em que entra no prelo a presente edição é ainda recente a morte de Vitorino Nemésio, o grande poeta, romancista e homem de cultura a quem se deve esta Antologia.

A Fundação Calouste Gulbenkian entendeu prestar-lhe singela homenagem aditando aos textos por ele escolhidos outros que, em qualquer caso e fossem quais fossem as circunstâncias, entre eles de direito teriam lugar: dois poemas de Vitorino Nemésio.

[L A R G A D A   À   B A L E I A]

Ao Eduardo Ferraz da Rosa

Blocos de Ponta Delgada,
Torres de Angra,
Céus da Horta,
A hora é soada,
Um peito sangra
À nossa porta.

Furnas da Graciosa,
Fajãs de São Jorge,
Neves do Pico,
Alguém me forge
O ferro, que eu não fico!

Grotas das Flores,
Chaves do Corvo,
Santa Maria!
Oiço tambores,
O ar é torvo,
A noite fria.

Lá vamos todos, todos,
Como lobos do mar,
Co as bandeiras dos bodos
As canoas varar:
Se o tubarão der à costa
Não falta quem no sangrar:
É perto o porto,
E o livre ilhéu, mesmo morto,
Não cora, se espernear.

Essas lanchas, aí, na carneirada,
Que se aguentem entretanto
No balanço e no remar:
Mar alto, terra salvada,
Co Senhor Espírito Santo
Estamos quase a chegar.

13-3-1976

[O   P I C O]

À memória de Tibério Ávila Brasil

Alevanta-se o Pico como a lava
Intacto o arredondou na espuma espessa.
Uma nuvem de neve o tinge, e a brava
Onda o asperge de aromas na cabeça.
Das calhetas de peixe e loiro vinho
Tiram seu pão os homens. O moinho
Usa a vela do barco. E, à maré cheia,
Com sinais de alto mar no lombo, e linho
No fio árduo e mortal, sangra a baleia.

5-5-1976

(extraídos de *Sapateia Açoriana,
Andamento Holandês e outros
Poemas,* ed. Arcádia, Lisboa).

ÍNDICE

287